Enfants-adultes
d'alcooliques

Janet Geringer Woititz

Enfants-adultes d'alcooliques

*Pour les enfants
de familles dysfonctionnelles
rendus à l'âge adulte*

Édition revue et augmentée

L'édition originale de cet ouvrage a été publiée sous le titre

ADULT CHILDREN OF ALCOHOLICS
© 1983, 1990, Janet G. Woititz
Publié par Health Communications, Inc.
ISBN 1-558474-112-7

Traduction de l'américain révisée par
Éditions Sciences et Culture

Réalisation de la couverture : Alexandre Béliveau

Dépôt légal : 1er trimestre 2002
Bibliothèque nationale du Québec
Bibliothèque nationale du Canada

ISBN 2-89092-296-0

Éditions Sciences et Culture
5090, de Bellechasse
Montréal (Québec) Canada H1T 2A2
Tél. : (514) 253-0403 – Téléc. : (514) 256-5078

Internet : www.sciences-culture.qc.ca
Courriel : admin@sciences-culture.qc.ca

Nous reconnaissons l'aide financière du gouvernement du Canada par l'entremise du Programme d'Aide au Développement de l'Industrie de l'Édition pour nos activités d'édition.

IMPRIMÉ AU CANADA

◆ Sommaire ◆

◆ Remerciements ◆

Je désire d'abord remercier les enfants de parents alcooliques et les enfants de familles dysfonctionnelles. Ce sont ces nombreuses personnes de tout âge qui ont rendu ce livre possible.

À Diane DuCharme, qui m'a incitée à écrire ces lignes.

À Sue Nobleman, Debby Parsons, Tom Perrin et Rob, pour leur engagement indéfectible dans ce projet.

À Lisa, Danny et Dave.

À Kerry C., Jeff R., Irene G., Eleanor Q., Barbara P., Martha C., Loren S., mes étudiants à Montclair State, et ceux de la Rutgers University Summer School for Alcohol Studies, mon groupe d'études Advanced Techniques in Family Therapy (Westchester Council on Alcoholism), Sharon Stone, Harvey Moscowitz, Linda Rudin, Eileen Patterson, Bernard Zweben et James F. Emmert.

◆ Avant-propos ◆ de l'édition revue et augmentée

Quand j'ai étudié, il y a dix ans, la possibilité d'écrire un livre sur le devenir des enfants d'alcooliques au moment où ils grandissaient, je n'avais aucune idée de l'effet qu'un tel projet pouvait susciter.

J'ai toujours cru que, lorsqu'on perçoit le monde de façon différente des autres, on doit leur en faire part et partager avec eux. C'est ainsi que je me suis mise à l'œuvre. Mes amis et mes collègues ont haussé les épaules. Une fois de plus, selon eux, je me faisais une montagne d'un rien. Puisqu'il s'agissait là d'une position coutumière, je n'étais aucunement dérangée.

J'avais rédigé ma thèse de doctorat, *Self-Esteem in Children of Alcoholics* (L'estime de soi chez les enfants d'alcooliques), au milieu des années 1970. *The Forgotten Children* (Les enfants oubliés) de Margaret Cork constituait, à l'époque, le seul ouvrage dans ce domaine. Il semblait y avoir peu d'intérêt pour ce sujet. On était porté à croire dans le domaine de l'alcoolisme que, lorsque le principal intéressé s'éloignait de son problème, il en était de même pour les membres de sa famille. On se concentrait donc sur l'alcoolique. Après tout, n'est-il pas vrai qu'on considère plus intéressante la personne avec un abat-jour sur la tête que le partenaire blotti dans un coin? Ce n'était pas ma façon de penser; j'ai toujours été davantage fascinée par la réaction des spectateurs que par le jeu des acteurs.

Les années 1970, au moment où je m'affairais à ma recherche, constituaient une période de grande exploration individuelle. C'était l'époque des groupes de rencontre, d'expérience avec des drogues et de la liberté sexuelle. Jusqu'à nouvel ordre, c'était l'époque du Moi - Moi - Moi. Donc, l'idée qu'il y a eu des millions de gens profondément choqués par le comportement et les attitudes des autres, et qui n'avaient pas un Moi à satisfaire, allait à contrecourant de l'époque.

Je n'avais pas mâché mes mots au sujet de la guerre du Vietnam, au moment où John Kennedy était président, et j'avais manifesté en faveur des droits civiques bien avant les *sit-in*. Comme j'étais très consciente de l'influence accablante de l'alcoolisme de mon époux dans ma vie privée et dans celle de mes enfants, il fallait que j'exprime ma position de la façon que je la sentais. Comme je m'y attendais, on ne partageait pas mon point de vue.

Mon intérêt sans bornes pour le bien-être de la famille m'a amenée à écrire *Marriage on the Rocks* (Mariage au bord de la rupture). J'ai découvert que, en faisant part à mes clients des expériences vécues avec l'alcoolisme par d'autres personnes que je connaissais, je réduisais leur déni. Lorsque je m'exprimais avant eux, ils étaient ébahis, voire soulagés. J'en ai donc conclu que, si quelqu'un pouvait identifier ses sentiments et expériences dans un texte imprimé, il en deviendrait plus conscient et la démarche du processus thérapeutique en serait grandement améliorée. Il fallait que quelqu'un fasse jaillir cette réalité – l'information devait être partagée.

Au moment de la parution de *Marriage on the Rocks*, j'ai fait une tournée de promotion, visitant tous les marchés importants du pays. L'importance d'une influence que maintenant nous appelons *codépendance* n'était pas d'intérêt général. Bien que le besoin fut immense, le déni était nettement plus fort.

Ironiquement, à toutes les stations de radio et de télévision, ou presque, j'ai été accueillie avec des excuses : mon livre avait mystérieusement disparu. Je savais ce que cela voulait dire : quelqu'un, avec un problème d'alcoolisme, avait été trop gêné pour l'emprunter. J'ai aussi découvert qu'on m'invitait non pas parce qu'il s'agissait d'un « sujet bouillant », mais plutôt parce qu'un journaliste ou un producteur affecté par le problème sollicitait une session privée avec quelqu'un qui *comprenait*.

Le programme Al-Anon a toujours été et continue d'être une ressource de base pour les membres d'une famille. Je serai toujours reconnaissante pour l'appui personnel et l'encouragement professionnel dont j'ai bénéficié dans leurs salles de réunions. C'était le seul endroit où les gens croyaient que la famille pouvait se rétablir, indépendamment du comportement de la personne alcoolique. Puisque le programme est avant tout conçu pour aider les nouveaux membres, ce qui est bien d'ailleurs, les autres, faisant face à des circonstances de vie différentes, doivent interpréter ce que l'on dit et l'adapter à leur propre existence pour en tirer des avantages. Les enfants-adultes, enfants d'alcooliques rendus à l'âge adulte, qui ont aussi besoin d'aide, ne parviennent pas facilement à s'intégrer. L'élaboration de groupes d'entraide visant spécialement les enfants-adultes d'alcooliques (EADA) comble cette lacune.

En 1979, j'ai été invitée à participer à un symposium concernant les services aux enfants d'alcooliques. Ce symposium était commandité par la National Institute for Alcoholism and Alcohol Abuse (L'Institut national d'alcoolisme et d'abus d'alcool) qui avait invité douze personnes. Nous avons appris que le choix des représentants avait été fait parmi les seules vingt-quatre personnes reconnues au pays. Pour la première fois de ma vie, j'ai senti que je faisais partie d'un groupe de professionnels qui appréciaient l'importance du travail.

En 1980, j'ai été invitée à concevoir et présenter un cours pour aider les enfants d'alcooliques, à la Rutgers University Summer School of Alcohol Studies (Session d'été d'études sur l'alcool à l'Université Rutgers). C'était alors – au meilleur de ma connaissance, ce l'est toujours – le seul cours de ce genre dans le monde entier. Il est bien évident, et il faut le souligner, que la Rutgers et tous ceux qui ont désiré participer à la session d'été constituaient les chefs de file en matière d'éducation. Ce cours a allumé la flamme, et quelle merveilleuse sensation que j'aie été reconnue et appuyée. Peu après, l'intérêt s'est grandement accru au sein de la communauté des thérapeutes dans le traitement de l'alcoolisme, et j'ai reçu de nombreuses invitations, d'un bout à l'autre du pays, pour parler à des professionnels et leur donner une formation.

À peu près à la même époque, j'ai réalisé que les adolescents que j'avais connus par l'entremise d'amis du mouvement Al-Anon et ceux rencontrés dans ma pratique grandissaient. Il me semblait évident que les problèmes de ceux qui étaient affectés par un parent alcoolique étaient différents de ceux, du même âge, que j'avais connus et avec qui j'avais travaillé. Un jour, au moment où je présentais une conférence sur les enfants d'alcooliques, j'ai glissé : « L'enfant d'un alcoolique n'a pas d'âge. C'est aussi vrai pour une personne de cinq ans que pour quelqu'un de 55 ans. » Je suis convaincue que, à partir de ce moment, les gens qui m'écoutaient ont commencé à penser de façon différente. Je ne parlais plus des *enfants*. Je parlais d'eux.

J'ai pris à ce moment la décision de former un groupe qui ciblait les enfants-adultes d'alcooliques, de travailler dans ce secteur avec des cas individuels et de vérifier ma découverte sur une base nationale. Au cours des deux années suivantes, c'est précisément ce que j'ai fait. Peu importe où j'allais, ici au pays ou ailleurs, la réponse était toujours la même : « C'est exactement le cas de ma vie. » « Enfin, j'ai la preuve de la justesse de mon argument. » « Je ne souffre pas de démence. » À partir de ces découvertes, j'ai écrit le livre *Enfants-adultes d'alcooliques*.

Il ne s'agissait pas là d'un travail clinique ou d'un rapport scientifique basé sur ma recherche. C'était plutôt une façon de partager mes observations et le consensus de la compréhension de soi avec des centaines d'enfants d'alcooliques devenus adultes avec qui j'avais communiqué. En énonçant les caractéristiques des enfants-adultes, je n'exposais pas des défauts de caractère, je partageais ce que j'avais découvert. J'ai toujours cru que la connaissance constitue une liberté, et que ceux qui reconnaissent cette liberté avaient maintenant de nouveaux choix. Ils étaient alors en mesure de changer certains aspects de leur personnalité qui avaient provoqué des difficultés, ou ils pouvaient ne rien faire du tout. Dans un cas comme dans l'autre, ils avaient une meilleure connaissance de soi, se comprenaient mieux. C'était une situation, à tout point de vue, gagnante.

Enfants-adultes d'alcooliques n'est pas devenu un best-seller du jour au lendemain. Bon nombre d'éditeurs l'ont refusé. Une fois de plus, on me rappelait que j'amplifiais un problème qui était en fait mineur. Peut-être mes écrits valaient-ils un dépliant, mais pas un livre. J'ai rencontré Gary Seidler du *U.S. Journal* lors d'un colloque national sur l'alcoolisme; quelqu'un qui connaissait mon travail m'a demandé de lui présenter mon manuscrit. Nous nous en réjouissons encore tous les deux.

Mon livre a été publié la première fois en 1983 et vendu par commandes postales, les libraires n'étant aucunement intéressés. Les enfants-adultes qui l'ont lu ont répandu la nouvelle, et les gens se sont mis à acheter des exemplaires pour les membres de leur famille. On se passait le mot, et les librairies durent s'approvisionner pour répondre à la demande, quoique dans la plupart des cas on le cachait dans l'arrière-boutique. Les gens qui en désiraient un exemplaire devaient en faire la demande; il leur était impossible de le prendre sur un rayon. Cet état de fait provoquait une certaine gêne chez les gens qui avaient appris à cacher leurs secrets de famille. Ils étaient maintenant forcés de demander à un étranger un titre de livre qui, à lui seul, était très révélateur. Le besoin cependant l'emporta sur la gêne.

En 1987, le livre s'est retrouvé sur la liste des best-sellers du *New York Times* et garda cette position pendant près d'un an. Le livre n'avait bénéficié d'aucune forme de publicité ou de commercialisation. Même au moment où il figurait sur cette liste, on l'éloignait la plupart du temps des autres succès de librairie, en dépit de la demande populaire. Tous ceux et celles qui croyaient que le contenu pouvait leur être utile exigeaient de le lire. Au moment d'imprimer la présente édition, *Enfants-adultes d'alcooliques* s'était vendu à près de deux millions d'exemplaires aux États-Unis, au Canada, en Angleterre, en Australie et en Nouvelle-Zélande. L'œuvre a été traduite en norvégien, en finnois, en danois, en français et en allemand, et bientôt en russe. Partout dans le monde, on commence à reconnaître que l'impact de l'alcoolisme sur les enfants est aussi important que la culture, la race, l'origine ethnique, la religion ou l'économie. Il s'agit là d'une véritable pandémie : le langage de la souffrance est universel.

Il est également devenu évident que les conséquences d'autres systèmes troublants sont similaires, et que le concept de la famille alcoolique constitue un modèle pour bon nombre d'autres familles dysfonctionnelles.

Puisque abandonner *les secrets* fait partie du processus de rétablissement de l'alcoolisme, les gens qui doivent surmonter ce fléau n'ont plus rien à cacher. C'est merveilleux qu'ils nous permettent de les étudier... et d'apprendre. Il en découle un avantage marqué pour eux, pour nous et pour tous les autres qui s'y identifient.

Enfants-adultes d'alcooliques a d'abord été écrit en ne tenant compte que des enfants d'alcooliques. Depuis sa première parution, nous avons découvert que le matériel présenté se rapporte aussi à d'autres types de familles dysfonctionnelles. Pour ceux et celles qui n'ont pas grandi avec l'alcoolisme, mais qui ont vécu avec d'autres comportements compulsifs comme le jeu, les drogues ou la suralimentation, ou pour ceux et celles qui ont été exposés à une maladie chronique ou à certaines attitudes religieuses rigides, ou encore pour ceux et celles qui ont été adoptés, qui ont vécu dans un foyer de transition ou dans tout autre système potentiellement dysfonctionnel, il est fort possible que ces personnes puissent se reconnaître dans les caractéristiques décrites ici. Il appert que presque tout ce qui s'applique aux enfants d'alcooliques s'applique également à d'autres, et que cette compréhension peut réduire l'isolement d'un très grand nombre de personnes qui se croyaient *différentes* en raison de leur expérience de vie. Bienvenue à vous tous et toutes.

En 1985, je fondais l'*Institute for Counseling and Training* (Institut d'orientation et de formation), avec plusieurs talentueux collègues, à Verona, au New Jersey. L'Institut, qui est maintenant situé à West Caldwell, vise à offrir l'excellence en soins externes, et une formation appropriée aux personnes et aux familles qui se reconnaissent dans les problèmes identifiés de la famille alcoolique. Un autre but de l'Institut est d'offrir une base de recherche afin d'accroître la connaissance dans le domaine. Cette démarche a permis la publication de plusieurs autres travaux dans lesquels on sonde plus profondément les aspects discutés, en termes généraux, dans le présent ouvrage.

The Intimacy Struggle (Lutte pour la vie intime) a été rédigé pour répondre directement à nos clients qui désiraient établir une relation saine et intime, tout en reconnaissant la douleur associée à cette démarche. Il est important de préciser clairement la nature du défi afin de pouvoir apporter les changements désirés.

Je voulais que ceux qui œuvrent dans les programmes d'assistance aux employés comprennent les conflits que vivent les enfants-adultes de familles alcooliques. Ce désir m'a incitée à écrire *Home Away From Home* (Un chez-soi éloigné du foyer). Il s'agissait là d'une tentative de préciser à l'employeur la valeur professionnelle de l'enfant-adulte au sein du milieu de travail, ainsi que le risque d'épuisement total lorsque cette valeur est surexploitée. Plus tard, une édition conçue pour l'ensemble des consommateurs a été publiée sous le titre de *The Self-Sabotage Syndrome* (Le syndrome de l'autosabotage). Le point culminant des deux parutions repose sur le fait que, lorsque les gens n'étudient pas les caractéristiques des enfants-adultes, le lieu de travail devient une reproduction des difficultés vécues au foyer, et l'enfant-adulte se sent une fois de plus victime.

Nous voyons de plus en plus d'hommes et de femmes qui souffrent d'un traumatisme associé à un abus sexuel et qui veulent guérir de cet abus. Leur expérience les empêche d'apprécier leur valeur tant individuelle qu'en relation avec les autres. Cette dimension m'a amenée à écrire *Healing Your Sexual Self* (La guérison de votre Moi sexuel).

Enfants-adultes d'alcooliques a été essentiellement fondé sur les prémisses qu'il existe un manque de données de base chez les enfants d'alcooliques : ils n'apprennent pas ce que les autres enfants apprennent en grandissant. Même s'ils se tirent merveilleusement bien d'une crise, ils ne font jamais l'apprentissage du processus quotidien de *vivre*. Donc, lorsque Alan Garner m'a suggéré d'écrire avec lui le livre *Life Skills For Adult Children* (Les attitudes de vie chez les enfants-adultes), cela me semblait l'étape logique à suivre : un retour aux notions fondamentales. La perspicacité et l'adaptation ont quand même leurs limites. L'étape suivante est de *vivre ses expériences* et d'apprendre *comment le faire.*

Lorsque Peter Vegso m'a demandé de revoir la version originale de *Enfants-adultes d'alcooliques,* j'ai eu une drôle de sensation. Après tout, ce qui était vrai à l'époque l'était toujours. Pourquoi doit-on réparer quelque chose qui fonctionne? Plus j'y pensais, plus je me rendais compte qu'il manquait une section : une section sur le rétablissement. Au moment où j'ai écrit le livre, il n'existait aucun programme de réhabilitation pour les enfants-adultes d'alcooliques. L'idée d'être étiqueté comme un *enfant-adulte* faisait l'objet d'un débat, et bon nombre de gens acceptaient difficilement l'idée qu'on pouvait se rétablir d'une telle expérience.

Au moment où le livre était offert sur le marché, des groupes de soutien ou d'entraide se formaient dans différents endroits du pays. Au fur et à mesure que ces groupes prenaient racine, les programmes de rétablissement suivaient, et plus de gens travaillaient et écrivaient sur ce sujet. Au cours des dernières années, un plus grand nombre de thérapeutes se sont spécialisés dans les relations avec les enfants-adultes d'alcooliques. Les livres, les ateliers et les conférences se sont multipliés. La conscience du public s'est accrue et, de ce fait, est née l'*industrie* de la réhabilitation ou du rétablissement.

On éprouvait jadis une certaine honte à admettre qu'on était issu d'une famille dysfonctionnelle; maintenant, c'est admis. Il fut un temps où l'isolement résultant de cette expérience de vie était profond; on peut maintenant se sentir membre à part entière de la grande famille des humains. En raison de ces développements, le rétablissement prenait une signification spéciale pour les enfants-adultes d'alcooliques. Donc, tout livre de base qui explique le vécu d'un enfant-adulte d'alcoolique doit offrir une section de conseils sur la réhabilitation afin de maintenir l'enfant-adulte en cours de rétablissement dans le bon chemin. J'ai donc ajouté en annexe des conseils sur le rétablissement, tels que vécus dans le « mouvement des EADA ».

Il fait bon d'être entendue, enfin!

◆ Introduction ◆

Depuis plusieurs années, une foule de recherches sur l'alcoolisme ont été réalisées. Bien que les données varient, on s'entend généralement pour dire qu'il y a plus de dix millions d'alcooliques aux États-Unis.

Ces personnes, en plus d'être elles-mêmes victimes, créent une influence mauvaise chez les gens qui les côtoient tous les jours. Les employeurs, les parents, les amis et les familles d'alcooliques souffrent des effets de l'alcoolisme. Une quantité inestimable d'heures de travail sont perdues en raison de l'absentéisme et de l'inefficacité causés par l'alcoolisme. Les parents et les amis sont forcés d'inventer des excuses et de cacher l'alcoolique. Les promesses de ne plus boire, bien que de courte durée, sont acceptées par ceux et celles qui cherchent le bien-être de l'alcoolique et ces gens, sans s'en rendre compte, font éventuellement partie du problème.

Plus ces personnes sont proches de l'alcoolique, plus elles en souffrent. La famille est profondément touchée lorsque l'employeur doit congédier l'alcoolique. La famille est également affectée lorsque les parents et les amis ne peuvent plus tolérer les conséquences de l'alcoolisme, et s'éloignent de la personne atteinte et de sa famille. La parenté immédiate est directement affectée par le comportement de l'alcoolique. Ne pouvant contrebalancer sans aide ce mouvement, les membres de la famille deviennent victimes des conséquences de la maladie et deviennent eux-mêmes malades émotivement.

L'intérêt principal est toujours centré autour de l'alcoolisme, de l'abus d'alcool et des alcooliques. On n'a jamais accordé la même attention à la famille ou, plus spécifiquement, aux enfants qui vivent dans la maison d'un alcoolique.

Il va sans dire qu'un bon nombre d'enfants sont affectés par un tel mode de vie. Leur identification a toujours été difficile pour une foule de raisons, dont la gêne, l'ignorance de l'alcoolisme en tant que maladie, le déni et la protection des enfants contre la cruelle réalité.

Bien que le comportement, même face à la douleur, se manifeste de façons différentes, les enfants d'alcooliques semblent afficher, dans l'ensemble, peu d'estime de soi. Ce n'est pas surprenant, puisque la littérature sur le sujet indique que les conditions qui ont amené une personne à s'évaluer et à reconnaître sa valeur peuvent se résumer par des expressions comme « affection parentale », « frontières clairement établies » et « traitement respectueux »[1].

Dans bon nombre d'ouvrages, on constate que ces conditions sont soit absentes, soit présentes de façon incon-

---

1. Coopersmith, S. « Self-Concept Research Implications for Education » (Implications de la recherche sur la perception de soi dans l'éducation). Exposé présenté à l'American Education Research Association, Los Angeles, Californie, le 6 février 1969.

sistante dans un foyer alcoolique[2]. Le comportement du parent alcoolique est affecté par sa chimie interne, tandis que le comportement du parent non alcoolique est affecté par la réaction de l'alcoolique. Il reste peu d'énergie émotive pour répondre aux nombreux besoins des enfants victimes de cette maladie familiale.

Les parents représentent un modèle, qu'ils le veuillent ou non. Selon Margaret Cork, c'est dans sa relation de « donnant, donnant » avec ses parents et les autres que l'enfant découvre un sens de sécurité, d'estime de soi et une possibilité de traiter les problèmes intérieurss complexes de son existence[3].

L'étude de Coopersmith indique que l'adolescent mâle développe une confiance en soi, un goût pour l'aventure et une aptitude à combattre l'adversité lorsqu'on le traite avec respect, qu'on lui offre certaines normes de valeurs bien définies et qu'on répond à ses attentes de compétence, en lui indiquant comment résoudre ses problèmes. L'évolution vers l'indépendance individuelle provient d'un environnement bien structuré plutôt que trop permissif et exagérément libéral.

Les recherches de Stanley Coopersmith et Morris Rosenberg les ont amenés à croire que les élèves qui ont un degré élevé d'estime de soi se perçoivent comme des

---

2. Bailey, M. B. *Alcoholism and Family Casework* (Traitement de l'alcoolisme et de sa famille). New York : National Council on Alcoholism, New York City Affiliate Inc., 1968. Hecht, M. « Children of Alcoholics Are Children at Risk » (Les enfants d'alcooliques sont des enfants à risque), *American Journal of Nursing* 73 (10), octobre 1973, p. 1764-1767.

3. Cork, Margaret. *The Forgotten Children* (Les enfants oubliés). Toronto, Alcohol and Drug Addiction Research Foundation, 1969, p. 36.

victorieux. Ils sont relativement éloignés de l'anxiété et des symptômes psychosomatiques, et peuvent même évaluer leurs aptitudes de façon réaliste. Ils sont confiants que leurs efforts leur procureront un certain succès, tout en étant très conscients de leurs limites. Les personnes douées d'un haut degré d'estime de soi sont extraverties, réussissent socialement et s'attendent à être reconnues. Ces personnes acceptent leur entourage et vice versa.

Par contre, selon Coopersmith et Rosenberg, les élèves qui ont un faible degré d'estime de soi se découragent facilement et sont parfois déprimés. Ils se sentent isolés, sans amour et guère attachants. Ils semblent incapables de s'exprimer ou de se défendre de leurs insuffisances socio-affectives. Ils sont tellement préoccupés par leur timidité et leur anxiété que leur possibilité de s'épanouir peut être facilement détruite[4].

Ma propre recherche dans « Self-Esteem in Children of Alcoholics[5] » (L'estime de soi chez les enfants d'alcooliques) m'a indiqué que les enfants de parents alcooliques affichent moins d'estime de soi que ceux qui proviennent de foyers sans abus d'alcool. Cette situation était prévisible. Puisque l'estime de soi est fondé, avant tout, sur le respect, l'acceptation et l'accueil de la part des autres, il est logique de présumer que l'inconsistance de la présence de ces conditions dans un foyer alcoolique influence de

---

4. Coopersmith, S. *The Antecedents of Self-Esteem* (Les antécédents de l'estime de soi). San Francisco, W. H. Freeman and Co., 1967. Rosenberg, Morris, *Society and the Adolescent Self-Image* (La société et l'image de soi chez les ados). Princeton, New Jersey, Princeton University Press, 1965.

5. Woititz, J. Doctoral Dissertation, New Brunswick, New Jersey, mai 1976.

façon négative la possibilité pour un individu de se sentir bien.

Il est intéressant de constater qu'une variable comme l'âge du sujet ne constituait d'aucune façon un déterminant de l'estime de soi[6]. Les adolescents de 18 ans et de 12 ans, selon l'étude, se voient essentiellement de la même façon. Il se peut que leur comportement soit différent, mais leurs sentiments personnels ne sont pas différents. Cette constatation soulève le fait que la perception de soi ne change pas avec les années, sans une forme quelconque d'intervention. L'attitude personnelle change, mais non la perception de soi.

Si c'est vrai, et les recherches tendent à appuyer ce concept, les enfants-adultes d'alcooliques représentent un segment important de la population auquel on doit porter attention.

Nous n'avons pas ignoré cette population. Nous ne l'avons tout simplement pas clairement étiquetée. Nous avons appelé ces personnes *alcooliques*. Nous les avons appelées *épouses d'alcooliques*. Nous avons ignoré la dimension globale de leur problème. Il est temps de mieux les identifier. Il est temps de les appeler *des enfants d'alcooliques rendus à l'âge adulte*. Il est important de reconnaître ce fait parce que les implications dans le traitement sont profondes. L'enfant-adulte d'alcoolique a été affecté et a réagi de façon différente des autres enfants qui n'ont pas vécu cette expérience. Le présent ouvrage entend brosser un tableau de l'enfant-adulte d'alcoolique, en donner une définition et bien voir les implications.

---

6. L'étude de certaines variables telles que le sexe, la religion, l'occupation et le rang des enfants de mêmes parents n'ont donné également aucune statistique significative.

On découvrira comment une mauvaise image de soi se manifeste et on fera des suggestions pour changer si c'est souhaitable.

J'ai travaillé avec des groupes d'enfants-adultes d'alcooliques. Nous analyserons en profondeur leurs pensées, leurs attitudes, leurs réactions et leurs sentiments, tenant compte de la forte influence de l'alcool dans leur vie.

La moitié des membres sont des alcooliques en cours de rétablissement, l'autre moitié ne l'est pas. La moitié est représentée par des hommes, l'autre par des femmes. La plus jeune a 23 ans. Certains participants sont mariés, d'autres sont célibataires. Certains ont des enfants, d'autres n'en ont pas. Chacun recherche une croissance personnelle.

Certaines généralités font surface sous une forme ou une autre, à chacune des rencontres. Ces perceptions sont dignes d'un examen minutieux et d'une discussion approfondie.

1. *Les enfants-adultes d'alcooliques se posent des questions sur ce qui est normal.*

2. *Ils éprouvent des difficultés à poursuivre un projet du début à la fin.*

3. *Ils mentent alors qu'il serait tout aussi facile de dire la vérité.*

4. *Ils se jugent sévèrement.*

5. *Ils ont du mal à s'amuser.*

6. *Ils se prennent très au sérieux.*

7. *Ils ont beaucoup de difficulté dans leurs relations amoureuses.*

8. *Ils réagissent avec excès devant tout changement qu'ils ne peuvent contrôler.*

9. *Ils cherchent constamment l'approbation et l'affirmation.*

10. *Ils pensent qu'ils sont différents des autres.*

11. *Ils sont démesurément responsables ou très irresponsables.*

12. *Ils sont extrêmement loyaux, même lorsqu'une telle manifestation de loyauté n'est pas méritée.*

13. *Ils agissent impulsivement. Ils ont tendance à s'emprisonner dans une voie sans prendre sérieusement en considération les comportement alternatifs ou les conséquences possibles. Cette impulsivité mène à la confusion, au dégoût de soi et à la perte de contrôle sur leur environnement social. Conséquemment, ils consacrent une quantité excessive d'énergie à réparer les dégâts.*

Ce livre est dédié aux enfants-adultes d'alcooliques. J'espère également que les conseillers et les autres personnes intéressées le trouveront utile.

Il peut être utile de plusieurs façons : (1) dans le but d'obtenir une meilleure connaissance et une meilleure compréhension de l'univers de l'enfant d'un alcoolique, et de quelle façon ce processus évolue avec le temps; (2) en l'utilisant pour des efforts personnels ou comme guide clinique dans une recherche de croissance individuelle; et (3) à titre d'outil de base de discussion dans des groupes d'entraide d'enfants-adultes d'alcooliques.

De tous les coins du pays, j'ai reçu des demandes d'information sur la façon d'organiser des groupes d'entraide pour les enfants-adultes d'alcooliques, comment répondre à leurs besoins particuliers, tout en demeurant fidèle aux principes des AA et des Al-Anon. Le présent ouvrage répond à ces questions.

◆ CHAPITRE 1 ◆

Que vous est-il arrivé lorsque vous étiez enfant?

À quel moment l'enfant n'est plus enfant lorsqu'il vit avec l'alcoolisme? Mais, plus précisément, quand un enfant perd-il son allure enfantine? Vous avez certainement ressemblé à un enfant et vous vous êtes habillé comme un enfant. Les gens vous voyaient comme un enfant, sauf s'ils se rapprochaient assez pour voir la tristesse dans vos yeux ou ce regard inquiet qui vous caractérisait. Votre comportement était celui d'un enfant, mais sans les gamineries, sans la participation active. Vous n'aviez pas la spontanéité des autres enfants. Mais personne ne s'en apercevait avant de s'être approché très près de vous. Et même lorsqu'ils le faisaient, les gens ne comprenaient probablement pas ce qui se passait.

Quels que fussent leurs impressions et leurs commentaires, le fait demeure que vous ne vous sentiez vraiment pas comme un enfant. Vous ne saviez même pas ce que c'était pour un enfant d'avoir des sentiments. Un enfant est comme un petit animal... qui offre et reçoit librement et facilement de l'amour, dans une gaieté quelque peu espiègle et endiablée, cherchant approbation ou récompense, tout en accomplissant le moins possible, dans une dimension d'*insouciance* manifeste. Si l'enfant est comme un petit animal, vous n'étiez pas un enfant.

Quelques-uns pourraient vous décrire par une simple phrase, probablement à cause du rôle que vous aviez adopté au sein de la famille. Un enfant qui vit dans un environnement alcoolique joue un rôle semblable à ceux qui évoluent dans d'autres familles dysfonctionnelles. Mais dans ce genre de famille, les faits sont nettement évidents. Les autres sont conscients des problèmes chez l'enfant-adulte, sauf que nul ne les reconnaît précisément.

Par exemple : « Regardez Émilie, n'est-elle pas remarquable? Elle est certes l'enfant la plus responsable que je connaisse. J'aimerais avoir une telle enfant chez moi. »

Si vous étiez cette Émilie, vous faisiez un grand sourire, vous vous sentiez bien et heureuse des compliments. Vous ne vous accordiez probablement pas le droit de penser : « Que j'aimerais donc être assez bonne pour eux! » Et vous ne pensiez sûrement pas : « Que j'aimerais donc que *mes* parents me trouvent aussi formidable. J'aimerais donc *pouvoir* être assez bonne pour eux » ou « Eh bien, si je n'y parvenais pas, qui le ferait à ma place? »

Pour un étranger qui vous regardait, vous étiez simplement une remarquable petite enfant. Et, à vrai dire, vous l'étiez. Eux cependant ne voyaient qu'une fraction du portrait.

Vous pouviez jouer un autre rôle dans la famille. Vous étiez peut-être le bouc émissaire, celui qui avait toujours des problèmes. Vous étiez l'excuse familiale qui permettait de ne pas voir ce qui se passait réellement. Les gens disaient : « Avez-vous vu ce Thomas, il est toujours pris dans une difficulté quelconque. Les garçons sont les garçons. À son âge, j'étais comme lui. »

Si vous étiez ce Thomas, que ressentiez-vous? Peut-être vous refusiez-vous le droit de ressentir. Vous n'aviez qu'à regarder les autres et, dès lors, vous saviez qu'ils *n'étaient pas* comme vous lorsqu'ils avaient votre âge. Sinon, ils n'auraient pas cette attitude. Pourtant, vous ne pouviez vous permettre de dire, ou même de vous demander : « Que faudrait-il que je fasse pour qu'ils m'accordent un peu plus d'attention? Pourquoi faut-il que les choses se déroulent ainsi? »

Vous ressembliez peut-être davantage à Barbara — peut-être étiez-vous le bouffon de la classe? « Ça alors! elle sera certainement comédienne quand elle sera grande. Qu'est-ce qu'elle est intelligente, drôle, pleine d'esprit! » Et si vous étiez Barbara, vous affichiez peut-être un sourire, mais intérieurement vous vous demandiez : « Savent-ils ce que je ressens vraiment? La vie n'est pas aussi drôle. Je les ai dupés, mais je ne peux le leur dire. »

Ensuite, il y a la petite Michelle, ou est-ce Lise? Je ne me souviens jamais de son nom. Cette petite fille, là-bas, blottie dans le coin. Cette enfant renfermée — celle qui ne crée jamais de problème. Et l'enfant s'interroge : « Suis-je visible? » Cette enfant ne veut pas vraiment être invisible, mais elle se réfugie dans une coquille en espérant qu'on la remarque, incapable de modifier son comportement.

Vous ressembliez à un enfant, vous vous habilliez comme un enfant et, jusqu'à un certain point, vous agissiez comme un enfant, mais vous n'aviez certainement pas les sentiments d'un enfant. Regardons de plus près ce qui se passait à la maison.

LA VIE DE FAMILLE

Les enfants d'alcooliques grandissent dans des environnements semblables. Les personnes changent, mais ce qui se produit dans chaque foyer alcoolique n'est pas tellement différent. Les événements spécifiques peuvent varier mais, en général, un environnement alcoolique est semblable à un autre. Le courant sous-jacent de tension et d'anxiété est omniprésent. Ce qui se produit en particulier peut varier, mais la douleur et les remords suivent immanquablement. Les différences sont plus dans votre façon de réagir à vos expériences qu'aux expériences elles-mêmes.

Vous avez intériorisé de façon différente ce qui s'était produit et, conséquemment, vous vous êtes comporté différemment. Néanmoins, la plupart d'entre vous ont éprouvé les mêmes sentiments.

Vous souvenez-vous de ce que vous ressentiez à la maison? Vous pouvez visualiser les lieux et vous rappeler les événements, mais vous souvenez-vous des sentiments que vous éprouviez? À quoi vous attendiez-vous en franchissant le seuil de la porte? Vous espériez que tout soit parfait, sans en être réellement convaincu. La seule chose que vous saviez, c'était justement que vous ne saviez pas ce que vous alliez trouver ou... ce qui allait se produire. Et, d'une façon ou d'une autre, quel que fût le nombre d'occasions où les choses avaient mal tourné, dès que vous passiez la porte, vous n'étiez jamais préparé aux circonstances. Si votre père était l'alcoolique, parfois il était affectueux, voire chaleureux. Il était tout ce que vous désiriez d'un père : la bienveillance, l'intérêt, la participation, la promesse d'obtenir tout ce qu'un enfant désire. Et vous saviez, de plus, qu'il vous aimait.

Mais parfois, il n'agissait pas ainsi, étant en état d'ébriété. Lorsqu'il ne rentrait pas, vous attendiez avec inquiétude. À la maison, il tombait ivre mort, se querellait avec votre mère, se tournait même contre vous — une expérience cauchemardesque. Parfois, vous vous immisciez entre eux, pour essayer de rétablir l'ordre. Ne sachant pas ce qui allait se produire, vous ressentiez toujours un certain désespoir. Et, inévitablement, le père alcoolique oubliait toutes les belles promesses qu'il avait faites la journée précédente. Cela vous semblait étrange, puisque vous saviez qu'il était sincère au moment de les formuler et vous pensiez : « Pourquoi ne se réalisent-elles jamais? Pourquoi ne fait-il jamais ce qu'il promet de faire? Ce n'est vraiment pas juste! »

Il y avait aussi votre mère. Aussi étrange que cela puisse paraître, même avec tous ses problèmes, vous préfériez peut-être votre père. Parce que votre mère ronchonnait, qu'elle était colérique, agissant comme si elle portait l'univers sur ses épaules, et qu'elle était toujours à bout de forces, vous aviez la sensation d'être dans son chemin. En dépit de ses tentatives de vous prouver le contraire, vous ne pouviez chasser ce sentiment.

Peut-être allait-elle travailler, votre père étant sans emploi. Vous ne pouviez vous empêcher de croire que, sans votre présence, il n'y aurait peut-être pas autant de problèmes. Votre mère ne se querellerait pas avec votre père. Elle ne serait pas toujours tendue; elle ne passerait pas son temps à hurler de rage; elle serait peut-être moins coléreuse. La vie serait plus facile si vous n'étiez pas là.

Vous vous sentiez très coupable. Pour une raison ou une autre, votre existence était la cause de ces désarrois : si vous étiez un meilleur fils, une meilleure fille, il y aurait moins de problèmes. C'était entièrement votre faute, mais il ne semblait pas y avoir grand-chose à faire pour créer une meilleure qualité de vie.

Si votre mère était l'alcoolique, il est fort probable que votre père l'ait déjà quittée ou qu'il s'attardait au bureau jusqu'en soirée. Il n'avait pas du tout envie d'être présent. Ou peut-être, il arrivait à la maison le midi pour faire le travail de votre mère. Il cousait les boutons sur vos vêtements, préparait le repas. Cela s'est peut-être produit pendant un certain temps. Mais cette situation vous semblait bizarre, car vous saviez que ce n'était pas sa responsabilité et qu'il le faisait parce que votre mère était ivre.

À la fin, vous vous chargiez probablement de certaines responsabilités coutumières de votre mère. Jeune, vous avez appris à cuisiner, à nettoyer la maison et à faire les courses. En plus de prendre charge de vos jeunes frères et sœurs, d'une certaine façon, vous êtes devenu une mère pour votre mère. Vous l'avez aidée à manger, à faire sa toilette, même à la mettre au lit pour que les plus jeunes ne la voient pas rouler par terre. Vous preniez soin de la famille tout entière.

Quand elle était sobre, votre mère tentait de combler ses lacunes; alors la culpabilité s'emparait de vous. Il y a peut-être eu de longues périodes où elle repoussait son alcoolisme afin d'entretenir la maison. Quelle douleur c'était pour vous de la voir se livrer à un tel combat. Quel sentiment de gratitude, mais aussi de culpabilité, vous ressentiez au fur et à mesure que votre confusion s'accentuait. Au juste, quel était votre rôle?

Si vos deux parents étaient alcooliques, la vie était encore moins prévisible, sauf qu'ils se partageaient, tour à tour, la déchéance. La maison était un véritable enfer. La tension était excessive, insupportable. Dans cet air vicié planait une sensation de colère. Personne n'en parlait — l'éloquence de la situation suffisait. Il ne semblait y avoir aucune façon de s'en éloigner, aucun endroit où se cacher, et vous vous posiez la question : « Y aura-t-il une fin? »

Vous avez probablement imaginé quitter le foyer, faire une fugue, en finir une fois pour toutes avec vos parents alcooliques, abandonner l'idée qu'un jour ils reprennent le chemin de la sobriété et que la vie redevienne belle. Vous avez commencé à vivre un conte de fées, imprégné de fantaisies et de rêves. Vous viviez dans l'espoir parce que vous refusiez de croire ce qui se produisait. Vous saviez que vous ne pouviez parler avec vos amis ou avec des adultes, à l'extérieur de votre famille. Puisque vous croyiez devoir cacher ces sentiments, vous avez aussi appris à cacher la plupart de vos autres sentiments. Il vous était impossible de faire savoir au monde ce qui se passait dans votre foyer. De toute façon, qui vous aurait cru?

Vous avez vu votre mère protéger votre père. Vous l'avez entendue l'excuser lorsque sa maladie l'empêchait de se présenter au travail. Même quand vous lui faisiez part de quelque chose à propos de votre père, elle prétendait qu'il n'en était rien. Elle disait : « Oh, ne t'en fais pas. Finis de manger. » Vous avez donc appris à garder pour vous vos impressions sur l'alcoolisme de votre père, même si les crampes d'estomac s'emparaient de vous, et qu'intérieurement vous étiez tendu à l'extrême. Vous versiez des larmes tard dans la nuit — s'il vous en restait.

Pourtant vous saviez, d'ores et déjà, que vos rêves de quitter le foyer ou de vivre une existence normale dans une famille aimante ne se réaliseraient jamais. Il était déjà difficile pour vous de laisser vos parents derrière, même pour une fin de semaine. Si vous deviez vous absenter pendant une seule nuit, vous étiez inquiet de ce qui pouvait se passer à la maison : « Lorsque je quitte le foyer, j'ai l'impression d'abandonner le navire. Comment se débrouilleront-ils sans moi? Ils ont besoin de moi! » En fait, ils *avaient* besoin de vous. Sans vous, les membres de la famille seraient laissés à eux-mêmes et ce serait un désastre.

Il n'y avait aucune issue. Vous étiez piégé. Vous étiez piégé physiquement et émotivement. Ces sentiments sont ceux de Marise dans le rêve suivant :

Voici la description d'un rêve que j'ai fait quand j'avais environ huit ans. Il y a de cela près de 15 ans; néanmoins, il demeure, à ce jour, le plus frappant, le plus effrayant dont j'ai mémoire. Il s'est manifesté au cours d'une période de ma vie où l'alcoolisme de ma mère commençait à devenir « sérieux ».

Le film de ce rêve se déroulait en noir et blanc. Une buée parsemée de plaques mi-nébuleuses, mi-translucides, couvrait tout. C'était étrange pour moi puisque non seulement je faisais partie du rêve, mais je pouvais m'observer dans mon rêve, comme on peut se voir à la télévision ou dans un film.

Ma mère et moi étions dans un endroit sombre et lugubre qui ressemblait à un donjon. Nous étions derrière des barreaux, comme dans une cage ou une prison. L'endroit était dépourvu de murs, de plancher, de plafond — seulement la cage, ma mère et moi-même dans ce vide obscur. Je me souviens d'avoir fait les cent pas; j'étais agitée, mais sans être apeurée. Tout à coup, de nulle part, une sentinelle apparut : une femme en uniforme. Elle s'approcha de la cage, déverrouilla la porte et libéra ma mère. Elle la prit par le bras et l'amena. Elle me laissa seule. J'attendis patiemment, avec la certitude que la sentinelle reviendrait me libérer. J'ai attendu et attendu pendant une période qui m'a semblé une éternité. Enfin, quelque chose s'est dessinée dans la noirceur. Je croyais que c'était la sentinelle qui se dirigeait vers moi. Il s'agissait plutôt d'une forme inhumaine, qui se déplaçait lentement devant la cage et se volatilisait — je demeurai seule. Il me vint à l'esprit que nul n'allait me libérer. J'étais affolée.

Je me suis réveillée, terrifiée au-delà de la raison. Je me souviens de m'être assise dans le lit en criant. Du moins, je crois que je criais. J'exhalais l'air de mes poumons, mais mes cordes vocales ne produisaient aucun son. Je pris donc une grande respiration sans plus de résultat. J'avais perdu la voix.

Je tentais d'appeler ma mère. Je voulais absolument sa présence auprès de moi, mais il lui était totalement impossible de m'entendre. Je me suis par la suite glissée sous les couvertures et j'ai prié qu'au matin ma voix me soit rendue. Je sombrai enfin dans le sommeil.

Marise se sentait piégée et elle l'était. Elle était seule avec ses douleurs. Elle n'en fit part à personne et, chaque jour après l'école, elle rentrait directement à la maison afin de prendre soin de sa mère. Aussi douloureux que cela pouvait être, c'était plus facile pour elle d'être chez elle qu'à l'école et inquiète. Nul ne s'aperçut de rien. Nul ne vit quoi que ce soit. Marise était une bonne enfant qui exécutait à la lettre ce qu'on lui demandait sans créer de problème à personne.

L'ÉCOLE

Non seulement votre vie de famille était pitoyable, mais elle influençait aussi votre vie à l'école. Quel était votre taux de réussite? Si vous étiez comme Émilie, la performante par excellence, vous vous êtes bien tiré d'affaire. Vous étiez là, à faire ce qu'on attendait de vous. Vous obteniez de bonnes notes et faisiez l'objet de louanges. Vous étiez même souvent l'élève qui avait le privilège de nettoyer le tableau. Et c'était, pour un temps, une évasion du foyer et de vos sentiments personnels. Nul n'aurait pensé que vous étiez un enfant affligé de sérieux problèmes. Les éducateurs disaient même à vos parents : « J'aimerais avoir un enfant comme Émilie à la maison. »

Mais si vous apparteniez à l'autre catégorie, votre rendement était loin d'être impeccable. Selon le degré d'intelligence que vous manifestiez et la façon efficace avec laquelle vous aviez appris à manipuler les gens, vous pouviez prévoir, jusqu'à un certain point, votre rendement à l'école. Vous obteniez de bonnes notes dans un domaine en particulier au cours d'un semestre, et de très mauvaises au semestre suivant, jusqu'à ce que vous abandonniez totalement, ou que vous trouviez une façon de passer de justesse. Ou, comme Luc, vous tentiez de réussir par intimidation.

Malheureusement, vous adoptiez trop de caractéristiques de vos parents alcooliques. Les gens se comportent de la façon dont ils ont appris à se comporter, que cela leur plaise ou non — qu'ils le veuillent ou non. Les alcooliques ne veulent pas prendre la responsabilité de leur comportement. Est-ce votre cas? C'était certes celui de Luc.

Luc, 17 ans, en est à ses dernières années au secondaire et vit avec un père alcoolique en cours de rétablissement. Durant les années d'alcoolisme de ce dernier, donc la majeure partie de la vie de Luc, son père argumentait et était souvent violent. Invariablement, il obtenait ce qu'il voulait, parce que les autres avaient peur de lui.

Luc est venu me voir parce qu'il craignait de rater son cours en sciences de la santé. S'il échouait à cette matière, il n'obtiendrait pas son diplôme. La raison de son échec imminent reposait, selon son professeur, sur le fait qu'il n'avait jamais assisté aux cours.

Sa première réaction à la situation était la même que celle de son père pendant ses années d'alcoolique actif. « Il ne peut me faire ça. Il n'en a pas le droit. Pour qui se prend-il? Je vais le rapporter à la Commission scolaire. Je vais faire congédier ce bâtard. » Et ainsi de suite.

Je n'ai rien dit.

Ensuite, il tenta d'utiliser la tactique que son père utilisait au moment où il cessa de boire, étant encore confus et malade. « Je sais ce que je vais faire. Je vais me rendre chez lui. Je vais me mettre à genoux devant lui. Je vais le supplier, l'implorer et baiserai même sa bague. »

N'ayant suscité aucune réaction de ma part, il passa à la phase trois — celle qui devait m'indiquer qu'il avait

travaillé longtemps et péniblement pour se corriger.
« J'imagine que je devrai prendre un rendez-vous avec
lui, m'asseoir et tenter de trouver une façon de reprendre
le travail. »

Luc avait appris à prendre ses responsabilités pour
son comportement. Il s'agissait là d'une dure leçon parce
qu'elle ne provenait pas automatiquement de son expérience de vie. Les responsabilités devaient lui être ensei-
gnées.

Si Luc avait maintenu son ton belligérant, il aurait
raté son examen sans comprendre pourquoi. Il aurait pu
se considérer comme victime et blâmer les autres. L'enfant qui persiste dans ce comportement développe une
attitude de plus en plus antisociale — il est apte à se retrouver dans une institution de correction. Ceux qui l'entourent jugent son comportement de façon sévère, et il
est impossible pour l'enfant de comprendre puisqu'il n'a
jamais connu de comportements alternatifs.

S'il s'était accroché à la phase deux, Luc aurait peut-
être fini par *réussir*. L'artiste du faux peut généralement
s'en sauver pendant un certain temps. Et ça aussi, il l'a
appris à la maison. Le comportement excessivement ma-
nipulateur de l'alcoolique est souvent récompensé par la
réalisation des buts qu'il croit désirables. Cependant, la
manipulation ne fonctionne pas éternellement; les gens
cessent de se laisser berner, et l'alcoolique se fait prendre.
La même chose se produit chez l'enfant de l'alcoolique. Il
s'en sauve — pendant un certain temps. Ayant un sens
déformé de son propre pouvoir, il ne sait pas vraiment ce
qui lui arrive lorsqu'il se fait prendre.

La troisième alternative est la plus désirable, puisqu'elle donnait à Luc la meilleure occasion de résoudre

son problème de façon satisfaisante. Cela lui permettait d'être fier de sa personne, sans égard aux résultats. Si l'enseignant trouve un compromis, Luc aura son diplôme comme les autres. Si le compromis est irréalisable, Luc aura fait tout en son possible pour régler la situation et commencer à se respecter.

Ce cas en particulier finit bien. Le professeur et Luc ont préparé un programme permettant à ce dernier de reprendre ses travaux, et Luc a réussi à obtenir son diplôme en même temps que les autres élèves.

L'incapacité de se concentrer à l'école constitue un autre problème. Bien souvent, vos pensées cheminaient vers vos fantaisies, élaborées pour rendre la vie acceptable, ou pour s'inquiéter. Que m'arrivera-t-il? Est-ce que tout se déroulera bien? Que se passera-t-il en arrivant à la maison? Il se peut qu'on vous ait réprimandé parce que vous regardiez par la fenêtre. L'enseignant avait dit : « Suzie rêvasse à longueur de journée. J'aimerais qu'elle soit plus attentive. »

Eh bien, si vous étiez Suzie, vous vouliez probablement être plus attentive — mais comment le pouviez-vous? Surtout si vous aviez passé la nuit à entendre vos parents se quereller. Comment pouviez-vous vous concentrer à l'école, après avoir été privé d'une bonne nuit de sommeil? Et de toute façon, qu'est-ce que tout cela aurait changé? Les choses étaient déjà tellement confuses. Qui s'en souciait? Qui se préoccupait de votre réussite ou de vos échecs? Dans le premier cas, ce n'était pas assez; dans l'autre, on vous injuriait. Mais tout cela, c'est du passé — personne ne s'en est vraiment rendu compte. Si vous aviez besoin d'aide, vous saviez d'ores et déjà qu'il était préférable de ne pas en demander. On vous aurait peut-être fait une promesse, mais personne n'avait le temps de s'occuper de vous. Vous vous êtes donc replié sur vous-même.

Et si, par chance, une personne sympathique — par exemple, un enseignant — s'informait : « Quelque chose ne va pas, Bruno? Il me semble que quelque chose ne va pas », vous répondiez : « Non, tout va bien », et vous vous éloigniez, même si vous vouliez de façon désespérée vous accrocher à cet enseignant et lui dire : « Oh! mon Dieu, c'est terrible à la maison... je ne sais pas ce qui ne va pas, mais je sais qu'il y a quelque chose. De grâce, aidez-moi. » Mais vous saviez qu'on ne devait pas parler de ces choses en dehors du foyer. À ce moment, vous aviez espéré que l'enseignant vous retienne. Vous cherchiez quelqu'un qui vous comprendrait sans avoir à lui dire quoi que ce soit, mais sans croire réellement qu'une personne pouvait vous aider.

Vous aviez appris à garder vos impressions, possiblement en les réfutant vous-même. Et l'école, qui aurait pu être un refuge, était devenue un enfer. Après un certain temps, votre comportement en a été affecté ou vous avez décroché. Peut-être... peut-être que quelqu'un porterait enfin attention à vous. Si les problèmes se manifestaient, vous seriez peut-être forcé de révéler la vérité.

Lorsque vous vous teniez à l'écart, vous saviez qu'on vous fouterait la paix, parce que vous étiez de nature calme et ne causiez aucun problème aux gens de votre entourage. Et plus vous vous adonniez à cette pratique, plus la solitude devenait lourde, et plus il vous était difficile de faire autre chose. Le fait de devenir le bouffon de la classe, une distraction acceptée d'emblée par les étudiants, peut-être même par l'enseignant, pouvait fonctionner pendant un certain temps. De cette façon, vous attiriez l'attention — non pas celle que vous cherchiez, mais au moins on ne vous ignorait pas.

Si vous cessiez de fréquenter l'école, si vous aviez des ennuis sérieux, quelqu'un porterait certes attention. Vous sollicitiez de l'aide de la seule façon que vous connaissiez. Ensuite, vous accepteriez la punition, mais au moins quelqu'un vous aurait porté attention. Voilà ce qu'était l'école : une punition de plus, simplement un endroit où vous deviez être. Si vous aviez de la chance, elle pouvait vous apporter un peu de soulagement. Plus que tout, c'était un labyrinthe *que vous deviez traverser.*

LES AMIS

Que dire des amis — les autres enfants de votre âge? Peut-être qu'en jouant avec eux, vous n'aviez pas l'impression de faire partie du groupe. Quel que fût votre niveau d'engagement, vous vous sentiez toujours un peu différent, sans appartenance — comme un intrus.

Pour différentes raisons, il vous était difficile de vous faire des amis. La première, vous aviez de la difficulté à croire que les gens vous aimaient vraiment. Après tout, ne vous avait-on pas rappelé à maintes occasions que vous n'étiez qu'un enfant moche? Vous saviez que c'était vrai, sinon votre père ne serait pas obligé de boire. Et même si les bons sentiments des gens à votre égard étaient sincères, vous aviez peur que, s'ils connaissaient votre existence personnelle, ils cesseraient de vous aimer.

Peut-être avez-vous eu l'occasion de bien connaître certains enfants. Mais là aussi il y avait des problèmes. Combien de fois pouviez-vous accepter une invitation chez cet ami sans l'inviter chez vous ? Vous viviez constamment avec la crainte de ce *jour redoutable* où votre ami dirait : « Cet après-midi, allons jouer chez toi. » Vous ne pouviez aller chez votre ami qu'un certain nombre de fois avant d'être confronté à l'inévitable. Peut-être que ce n'était pas la peine d'avoir un ami.

Il est donc possible que vous vous éloigniez de vos amis, ou que votre comportement les incitait à s'éloigner de vous. De cette façon, vous n'aviez pas à les affronter. Mais si vous preniez le risque de nouer une nouvelle amitié, vous étiez conscient du fait qu'un jour on découvrirait votre secret.

Au moment où une adolescente de seize ans fit la connaissance du frère plus âgé d'une amie qu'elle avait connue lorsqu'elle était plus jeune, elle se retrouva devant de vieux souvenirs. Elle lui composa ce poème :

À *l'être cher*

Je te connais depuis longtemps,
Au moment où j'habitais l'enfer
Créé spécialement pour les enfants.

Les murs de ta maison
Constituaient mon seul salut.

Je suis convaincue que tu ne le savais pas —
Parce que je ne te connaissais pas vraiment.

Voici pourquoi je t'ai toujours connu,
Mais que tu ne m'as jamais connue.

J'étais atrocement seule, horrifiée —
Aucun endroit où me réfugier,
Personne à qui me confier...

Plusieurs années ont passé.

Tu ne te souviens pas de m'avoir connue,
Mais moi, je me souviens de toi.

J'avais besoin d'être où tu étais —
À un endroit si différent du mien.

Cette famille représentait beaucoup pour la petite fille. Cependant, elle dut envisager l'événement tant redouté — il lui fallait inviter son amie chez elle. Lorsqu'elles arrivèrent, son père était ivre mort sur le plancher du salon. Afin de sauver les apparences, la mère inventa une histoire : « Oh! il couche souvent sur le plancher parce qu'il a des problèmes avec son dos, et le docteur lui a dit que ce serait bon pour lui. » La jeune fille sembla accepter sa version, mais elle n'est jamais revenue. Le risque était réel. Comme il est difficile de se faire des amis!

Au fur et à mesure que vous grandissiez, cela devenait de plus en plus difficile, parce que vous en étiez rendu au point où vous ne saviez tout simplement pas comment vous faire des amis. « De quoi pourrais-je leur parler? Qui s'intéresserait à moi? Pourquoi m'aimerait-on? Je ne suis pas une bonne personne. Pourquoi voudrait-on de moi comme ami? » Devant toutes ces questions, comment peut-on se sentir spontané et libre? Comment peut-on se rapprocher des autres enfants?

Même si vous vouliez demeurer après les cours et jouer avec les autres enfants, ce n'était pas toujours possible. Peut-être deviez-vous rentrer en vitesse à la maison parce que vous deviez prendre soin d'un petit frère ou d'une petite sœur. Peut-être étiez-vous inquiet que votre mère soit ivre et que vous ayez à vous en occuper. Peut-être y pensiez-vous toute la journée et sentiez-vous le besoin de rentrer en vitesse afin de voir ce qui s'était produit. Dans ce monde étrange, vous ne cherchiez rien d'autre qu'une fuite, et pourtant vous deviez rentrer le plus rapidement possible.

Mais ce n'était pas votre vie, votre réalité. Ça ne semble pas très sensé, lorsque vous y pensez maintenant, mais… à l'époque, c'était votre lot. Certains enfants vivent l'expérience d'un camp d'été. Ainsi, une jeune fille passa quelques jours dans une colonie de vacances pour enfants de parents alcooliques.

À son retour, elle éprouva le besoin d'écrire ce qu'elle ressentait. Bien qu'elle ait su comment se comporter, elle avait traîné avec elle toute la confusion et toute l'inquiétude associées à un enfant qui vit avec l'alcoolisme. Personne ne s'en était aperçu, néanmoins, elle partagea ce sentiment avec moi dans le poème qui suit :

Colonie de vacances

Je ne veux pas être ici.
Je veux rentrer chez moi.
Je ne m'amuserai pas.
Je n'ai aucun ami ici
Et, personne ne m'aime.

Wow! j'ai eu du plaisir!
Et j'ai ri et j'ai souri,
Et je me sens passablement heureuse!
Ça ne sera pas si mauvais après tout,
Mais, à bien y penser, je veux rentrer.

Je veux encore me promener en bateau!
Quand mangeons-nous?
Pourrions-nous faire une excursion?
Je veux encore aller à la pêche!
Un feu de camp!

Je ne comprends pas ces « réunions! »
Chacun répète ces choses horribles
Et je sais exactement ce qu'ils ressentent!
Est-ce qu'ils comprennent aussi ce que je ressens?
Holà! passons à un autre!
Non — ils m'endorment.

J'aime bien ma monitrice, aussi.
Elles sont toutes tellement gentilles.
Nous faisons ce que nous voulons
Et ça, c'est super!

Quoi! Nous rentrons à la maison demain?
Nous venons juste d'arriver, n'est-ce pas?
Va-t'en! Tu m'enrages! T'es laid!
Et ta mère t'habille drôlement!
Je te hais!

Bon, c'est le temps de rentrer à la maison.
Je ne sais pas trop quoi penser du camp.
J'espère pouvoir revenir l'an prochain.
Je ne veux pas retourner à la maison,
Je veux être ici!

Bien, je pense que venir ici n'a pas d'importance,
Parce que, de toute façon, il faut rentrer
Et revivre encore ce que j'avais laissé.

Que dire de vos impressions de vous-même? Aviez-vous un degré élevé d'*estime de soi*? Vous accordiez-vous une certaine valeur? Vous sentiez-vous digne? Pensiez-vous un peu à vous?

Pour mesurer l'estime de soi, on a besoin d'avoir un sens de son *Moi*. En aviez-vous un? Je ne suis pas sûre. Un enfant détermine ce qu'il est par ce qu'il perçoit des gens importants autour de lui. Au fur et à mesure qu'il progresse dans la vie, il décide par lui-même ou, idéalement, il serait préférable qu'il le fasse. Mais, au début, il découvre qui il est par ce que les gens lui disent et il intériorise ces messages.

Mais on reçoit beaucoup de doubles messages, des choses qui semblent se contredire. Vous n'aviez aucun

moyen de savoir ce qui était vrai; vous reteniez donc parfois une partie et parfois l'autre. Vous n'étiez jamais sûr.
Étrangement, ces messages contradictoires étaient probablement tous deux vrais. Et votre sens du *Moi* devenait un peu nébuleux, les messages étant plus compliqués
à interpréter. Il vous était donc difficile de déterminer qui
vous étiez, et si vous aimiez ou non cette personne.

Par exemple, vous entendiez : « Je t'aime, va-t'en. »
Qu'est-ce que cela voulait dire? Votre mère disait : « Je
t'aime. » Vous entendiez et ressentiez le poids de ces mots
tout en sachant que vous preniez de la place, qu'elle n'avait
aucun temps à vous consacrer, que vous étiez loin de son
centre d'intérêt. « Je t'aime, va-t'en. » Comment cela peut-
il avoir un sens? Quelle partie croyiez-vous? S'il vous arrivait de croire les deux, vous étiez confus.

Si vous croyiez le « Je t'aime » et que vous deviez vous
éloigner, quelles étaient les conséquences? Si vous croyiez
les deux parties, quelles étaient les implications au cours
de votre croissance? Les gens qui disaient vous aimer et
pourtant vous poussaient loin d'eux étaient peut-être très
désirables.

Que dire des doubles messages : « Tu ne peux rien
faire de bien... j'ai besoin de toi! » Le perfectionnisme
amenait l'alcoolique à critiquer tout ce que vous faisiez :
vous obteniez la note « A » alors qu'il vous fallait le « A+ ».
Indépendamment des circonstances, ce n'était jamais suffisant; il y avait toujours une possibilité de trouver un
défaut. Vous ne pouviez croire que vous étiez capable de
faire quelque chose de bien, en dépit de tous vos efforts.

Mais l'autre partie du message : « J'ai besoin de toi, je
ne peux me passer de toi », vous amenait à faire beaucoup de travaux dans la maison. À la fin, vous deveniez,

jusqu'à un certain point, un appui émotif. Pourquoi avait-il besoin de vous, si vous ne pouviez rien faire de bien? Ça vous semblait dépourvu de bon sens, mais vous saviez que c'était vrai parce que la diffusion de ces deux messages était vive et précise.

Nous en venons maintenant au *plus grand* paradoxe. «Tu dois toujours dire la vérité» et «Je ne veux pas le savoir». On vous a enseigné de toujours dire la vérité, parce que l'honnêteté constitue une grande valeur. Du reste, on vous disait que, si quelque chose se produit et que vous avez été franc, vous aurez moins de problèmes. Vous vous en souvenez?

Vous ne pouviez jamais être assuré sur ce point, puisque parfois c'était vrai, parfois c'était faux. «Je ne veux pas le savoir» compliquait sûrement la question. Pourquoi les accabler? Pourquoi surcharger un parent déjà accablé? Voilà une rationalisation merveilleuse pour quiconque réfute ses responsabilités. Quel enfant désire avouer une mauvaise action, spécialement lorsqu'un de ses parents est le parfait exemple d'un tel comportement?

Pourquoi leur donner d'autres raisons de s'inquiéter? Voilà qui représente un encouragement, à mots couverts. En peu de temps, vous avez appris que «toujours dire la vérité» est une notion à refiler à vos enfants, quoique la vérité signifiait peu dans votre maison — vos parents mentaient tout le temps. Vous avez entendu votre parent non alcoolique inventer des excuses pour votre parent alcoolique, et cela semblait acceptable. Aussi, votre parent alcoolique faisait toujours des promesses qu'il ne tenait pas. Et pourtant, il ne semblait pas mentir lorsqu'il promettait.

Dans votre foyer, la frontière entre le réel et l'irréel était très déformée. Donc, il y avait peu d'avantages, pour vous, à dire la vérité. Alors, vous avez commencé à mentir de façon automatique. Et puisque vous n'aviez pas le sentiment de mentir parce que tout le monde mentait, vous ne vous sentiez pas trop coupable. Vous vous êtes même laissé prendre au jeu, croyant que vous protégiez votre famille. « Ils se sentiront mieux s'ils croient que mon transport à la maison a été retardé », pensiez-vous, plutôt que leur dire : « Nous nous sommes fait prendre à fumer un joint dans la rue et nous avons été amenés au centre des jeunes délinquants. »

« Je serai là pour t'aider » et « Je te donne ma parole, la prochaine fois... » : un autre double message. Votre parent alcoolique faisait toujours des promesses comme : « Samedi nous ferons ceci. Nous nous sortirons de cette situation. Tout redeviendra merveilleux. Ne t'en fais pas. Je t'achèterai la robe que tu désires. J'arriverai à temps pour le dîner. Ça me touche, ça m'intéresse, nous en parlerons un autre jour. » Finalement, ces promesses ne se réalisaient jamais. Que des mensonges!

Dans l'autre partie du message : « Je te donne ma parole, la prochaine fois...» ou « Bien, ça n'a pas fonctionné cette fois-ci, mais je suis sûr que la prochaine fois... », le désir d'obtenir des points pour l'intention et non pour le comportement devenait évident. Et qu'en avez-vous fait? Pas maintenant, plus tard! Le « plus tard » ne s'est jamais manifesté. Donc, il y avait un troisième message : « Oublie tout. » Dès lors, vous appreniez comment ne pas désirer.

On passe ensuite au paradoxe de « Tout va bien, ne t'en fais pas. » L'autre partie du message que votre parent télégraphie est : « Comment puis-je m'occuper de tout? » Un sentiment de désespoir, mais qui vous dit de ne pas vous en faire. « D'accord, d'accord, je ne m'en ferai pas. » Pour une raison ou pour une autre, ça n'a pas fonctionné de cette façon.

Voici un autre message déroutant : un jugement porté sur l'alcoolique parce qu'il ou elle est alcoolique, et le refus de condamner un comportement inacceptable, pour la même raison.

« Jean est un soûlard », avait été dit avec mépris. Mais vous avez aussi entendu : « Oui, il a brisé son verre, mais sans faire exprès, il était ivre. » Ça n'avait aucun sens. Il ne pouvait s'empêcher d'être ivre s'il était alcoolique, mais ce n'était pas acceptable pour lui de briser un verre.

Le comportement de l'alcoolique s'est trouvé justifié en raison de la maladie. Nul ne devait être dérangé par ce comportement, parce qu'il ou elle ne l'avait pas fait exprès.

Cette double manière de voir était lourde de conséquences. Le message véritable était : « Si je suis un soûlard, je peux faire ce qui me plaît. » Non seulement l'alcoolisme servait d'échappatoire à l'alcoolique, mais vous avez probablement appris comment l'utiliser comme porte de sortie pour votre propre comportement. Par exemple : « Dis à ton enseignant que nous avons des problèmes de famille et il te pardonnera de ne pas avoir complété tes travaux. Ça fonctionne chaque fois. »

Jane m'a été référée en raison de son propre problème d'alcool, mais elle a mis très peu de temps à m'apprendre que sa vie était misérable en raison de l'alcoolisme de son père.

« Il est constamment sur mon dos. Il ne me lâche jamais. »

« Dites-moi, Jane, de quoi parlez-vous plus précisément? »

« Si je rentre après son couvre-feu, il hurle. (Le "couvre-feu" de Jane, à quinze ans, était à 1 h 30.) Si j'oublie de lui dire bonjour, il me tombe dessus. »

Ma réponse a été : « Jane, je bois peu, mais chez moi, votre couvre-feu serait à 23 h, et je ferais plus que hurler si vous entriez plus tard. Je m'attendrais aussi à ce que vous me disiez bonjour, que ça vous plaise ou non. »

Il est facile de comprendre qu'elle utilisait l'alcoolisme comme excuse pour faire la folle. Ensuite, lorsque la réaction de son père prouvait qu'il était agressif, elle utilisait son comportement contre lui. Je n'ai pas été gentille envers Jane — je lui ai dit exactement ce que je la voyais faire et ce que j'en pensais. Je lui ai également dit que je reconnaissais les véritables difficultés de sa vie.

La semaine suivante, lors de sa visite, je lui ai dit : « Je n'ai pas été tendre envers vous la semaine dernière; je suis surprise de vous revoir. »

« Quand j'ai quitté votre bureau, la semaine passée, j'étais mal à l'aise. Je savais donc que quelque chose devait changer », me dit-elle.

Comme elle ne cherchait pas vraiment à imposer son mauvais comportement, Jane se sentit soulagée que quelqu'un lui reproche ses manigances. La crainte de sa mère d'aggraver la situation en prenant position l'avait laissée confuse.

Comme l'alcoolique, l'enfant d'alcoolique doit pour atteindre la maturité être responsable de lui-même. Un des éléments dans la création du *Moi* repose sur la nécessité de rendre compte de nos actions. Que l'on s'attarde plus ou moins à explorer les intentions, ou les manques d'intention, nous sommes ce que nous faisons. On s'attribue des crédits pour les bonnes choses, et il doit en être de même pour les mauvaises. La clé, c'est d'accepter de prendre toute la responsabilité de notre comportement.

Les doubles messages que vous avez reçus au cours de votre enfance vous ont amené à perdre la vision de vous-même. Où vous situez-vous dans ce mélange? Qui s'intéresse vraiment à votre bien-être? Ça ne semble pas être vos parents. Même si vous ne vous en rendez pas compte, l'image que vous vous faites de vous-même est confuse.

À la fin, vous savez cependant que vos parents vous aiment. Vous ne pouvez le prouver — vous le savez tout simplement! Ce seul fait vous permet de surmonter les difficultés de votre enfance. C'est là l'élément majeur que même l'alcoolisme ne peut annihiler. L'amour peut avoir été déformé, mais il était réel… c'est votre réalité qui était tordue.

Donc, votre *Moi* a subi les mêmes conséquences. De ce fait, il existe bien des aspects de la vie et de la croissance que vous n'avez pas appris. Vous avez manqué des échanges entre parents et enfant du type : « Comment dois-je m'y prendre? », « Qu'est-ce que je fais s'il me dit ceci? », « Qu'est-ce que je fais avec ce problème? Comment puis-je le résoudre? » Vos parents étaient absorbés à un tel point par la folie de l'alcoolisme qu'ils n'avaient jamais ni le temps ni l'énergie pour parler de ces problèmes avec vous.

Donc, il existe beaucoup de choses qui ne vous sont pas familières, voire même qui vous sont tout simplement inconnues. Bien plus, vous ignorez l'existence de certaines choses, il vous est donc impossible de savoir quelles questions poser.

Vous savez cependant que vous n'êtes jamais confortable dans un groupe et vous ne pouvez comprendre pourquoi. Les autres se situent, se cadrent, alors que vous ne vous demandez même pas pourquoi.

Les sentiments de votre enfance, vos pensées, vos expériences et vos hypothèses demeurent en vous sous une forme ou sous une autre, toute votre vie durant. L'adulte, qui ne fait rien pour changer et qui reste attaché à ses parents, à son époux ou à son épouse, réagit à son travail de la même façon qu'il le faisait à l'école, se sentant isolé en dépit de la présence de personnes autour de lui. Il craint même de laisser les autres le connaître.

Cet adulte augmente également ses possibilités de devenir alcoolique, ou de marier une personne alcoolique, ou les deux, et de perpétuer ainsi un cycle vicieux.

◆ Chapitre 2 ◆

Que vous arrive-t-il maintenant?

Un enfant grandit et devient un adulte. Nous savons tous ce qu'est un adulte, jusqu'à ce qu'on nous demande de définir le mot. Lorsqu'on commence à chercher des réponses, nous sommes confus. Il m'est impossible de vous définir ce qu'est un adulte. Vous devez le faire vous-même. Vous en êtes peut-être au point où vous devez prendre la pleine responsabilité de vos actes. C'est peut-être à ce moment qu'on devient adulte — le moment où l'on prend charge de sa vie.

Pour les propos de ce livre, nous parlons d'une personne qui a grandi et qui a atteint la majorité. Vous pouvez donc vous poser la question, même si vous avez grandi : « Jusqu'à quel point êtes-vous adulte? » Quel rôle vos antécédents ont-ils joué dans votre vie? Quels sont les segments de ces antécédents que vous avez pu utiliser à votre avantage et quels sont ceux qui ont pu vous barrer la route? Quelle est votre perspective d'avenir? Comment vous voyez-vous vraiment?

Vous avez à l'esprit un tas de questions, dont plusieurs amènent de nouvelles questions Vos fondations étant ambiguës, vous avez toujours maintenu cet imposant cercle de questions. Il se peut que vous ne les connaissiez même pas, cependant, une chose est certaine : vous n'aviez pas beaucoup de réponses.

Regardons de plus près ce que vous êtes devenu aujourd'hui. Simplement regarder. Ne tentez pas de conclure au moment où vous analysez ces caractéristiques, qui sont une autre preuve irréfutable de vos blessures morales. Si je vous connais aussi bien que je le crois, c'est précisément ce que vous ferez.

Cette liste ne résulte pas d'une étude scientifique. Il s'agit tout simplement de regroupements de déclarations formulées par des enfants-adultes d'alcooliques. Ils reconnaissent que ces caractéristiques font partie de leur personnalité. Il se peut qu'elles ne vous concernent pas ou qu'elles ne s'appliquent à vous qu'à un certain degré. Ce n'est pas une tentative de vous étiqueter, mais si la discussion qui suit ne fait rien d'autre, elle vous aidera un peu à comprendre vos réactions et vos comportements. C'est une façon de vous indiquer que certains des éléments qui vous ont amené à vous questionner sur votre santé émotive sont des reliquats de votre enfance.

Il se peut que ce soit des habitudes prises par l'enfant d'un alcoolique. La forme peut avoir changé, mais la substance demeure la même. Dans ce contexte, on peut regarder ces caractéristiques, commencer à les explorer et faire un effort pour changer.

Voyons maintenant de plus près ces caractéristiques, leur signification et leurs implications.

1. LES ENFANTS-ADULTES D'ALCOOLIQUES SE POSENT DES QUESTIONS SUR CE QUI EST NORMAL

On ne peut surestimer la signification de cet énoncé puisque c'est leur caractéristique la plus profonde. Les enfants-adultes d'alcooliques n'ont tout simplement aucune expérience de *ce qui est normal*. Bon nombre d'entre eux se joignent aux AA ou aux Al-Anon. Cela m'amuse toujours de constater ce qui se produit au moment où ils arrivent à la Deuxième Étape : « Nous en sommes venus à croire qu'une Puissance supérieure à nous-mêmes pouvait nous rendre la raison.» Ils y croient vraiment. C'est certainement la vérité. C'est une démarche certes importante et essentielle à la réhabilitation. Cependant, ils ignorent complètement la signification de l'expression *rendre la raison*. Ils regardent les choses qui leur semblent normales et ils essaient de les copier. Mais ce qu'ils copient peut être ou non normal. Ils agissent donc comme s'ils étaient normaux, sans avoir une base sûre leur permettant de prendre cette décision.

Cette situation ressemble beaucoup à ce que les homosexuels ressentent lorsqu'ils sortent de leur coquille. Ayant passé leur vie à dissimuler afin de ne pas être découverts, ils souffrent d'une énorme confusion. Ils ont passé de longues années à tenter de deviner ce qu'ils ressentiraient s'ils n'étaient pas homosexuels, de façon à cacher aux autres leur véritable état.

Je ne trouve pas ce comportement bien différent de celui des enfants-adultes d'alcooliques. Toute leur vie, ils tentent de deviner ce qui est approprié afin d'empêcher les autres de découvrir que, en fait, ils ne savent pas ce qu'ils font. Ils deviennent inquiets et confus devant des sujets qui n'inquiètent aucunement les autres. Ils n'ont

pas la liberté de s'informer, alors ils n'ont jamais une certitude. Encore plus important, ils ne veulent pas passer
pour stupides. Lorsque des gens comme moi disent : « Les
seules questions stupides sont celles que l'on ne pose pas »,
ils ne disent rien ouvertement. Mais ils se disent à eux-
mêmes : « C'est ce qu'elle pense! Si seulement elle savait…! »

Après tout, lorsque vous pensez à vos antécédents,
comment pouvez-vous avoir une bonne compréhension
de ce qui est normal? L'atmosphère dans votre vie de famille passait de la démence légère à la bizarrerie extrême.

Puisqu'il s'agissait là de la seule vie de famille que
vous connaissiez, ce qui semblait « dément » ou « bizarre »
aux autres vous était familier. Si par hasard il se présen-
tait une journée que l'on aurait pu appeler « normale », ce
n'était pas une journée typique et, par conséquent, elle
était dépourvue de signification.

Par-delà votre vie chaotique de tous les jours, vous
viviez essentiellement dans le rêve. Vous viviez dans un
monde bien à vous, que vous aviez créé, un monde où ce
que serait la vie SI… Ce que serait votre foyer SI… Ce
que serait la relation entre vos parents SI… Les choses
seraient possibles pour vous SI… Et vous avez érigé toute
votre vie sur des choses qui étaient probablement impossibles. Les fantaisies irréalistes, fondées sur ce que serait
la vie si vos parents cessaient de boire, vous ont probablement aidé à survivre, mais en accentuant votre confusion.

Vous avez probablement regardé les émissions de télévision où l'on montrait des vies de famille et vous avez
cru que les gens vivaient vraiment de cette façon. Qu'en
saviez-vous? Les foyers que vous visitiez étaient différents
du vôtre, vos hôtes se présentaient de façon agréable. Même

si ce n'était pas le cas, il vous était impossible de capter le vrai sens de la vie dans le foyer d'une autre personne, parce que vous n'en faisiez pas partie.

Les enfants des foyers plus normaux savent que ces programmes ne reflètent aucunement la vie telle qu'elle est. Ils voient ces émissions de télévision comme des contes de fées qui les amusent ou qui les embêtent parce que trop doux et trop parfaits. Ils savent que nul ne vit vraiment de cette façon et que les choses ne finissent pas *toujours* bien.

Il devient très clair que vous êtes dépourvu de points de référence vous permettant de reconnaître un foyer normal. Il en est de même pour ce qu'il est bien de dire et de ressentir. Dans un milieu plus normal, il n'est pas nécessaire de toujours être à son meilleur, de toujours se remettre en question ou de toujours réprimer ses sentiments. En ce faisant, vous êtes devenu confus, et bon nombre de situations dans votre passé ont contribué à vous faire chercher la signification de ce qui est normal.

Récemment, un garçon de treize ans m'était référé pour consultation. Son père et sa mère, tous les deux des enfants d'alcooliques, étaient en cours de rétablissement de leur alcoolisme. Comme l'adolescent éprouvait des difficultés à l'école, le directeur conclut qu'il souffrait de sérieux problèmes émotifs et qu'une consultation s'imposait. Le fait de savoir que les deux parents étaient des enfants d'alcooliques me fournissait une importante information : ils ne savaient aucunement ce que c'était que d'avoir treize ans. Je savais qu'ayant été des enfants d'alcooliques, ils n'avaient jamais été des adolescents de treize ans typiques.

Avant de voir leur fils, je leur ai brossé un tableau représentant un jeune homme de treize ans vivant dans un foyer normal. Ils se sentirent grandement soulagés, parce que la description était celle de leur fils. Il n'est jamais facile de vivre avec un enfant normal de treize ans. Après avoir rencontré l'adolescent une ou deux fois, j'ai découvert avec plaisir qu'il n'avait rien du tout. Bien sûr, il avait certaines difficultés à l'école. C'était un battant et il existait un conflit de personnalité entre lui et le directeur. Pourtant, il n'y avait aucune nécessité pour lui de consulter un thérapeute. Il n'y avait aucun malaise chez ce garçon qui ne disparaîtrait pas au moment de son prochain anniversaire de naissance.

La perturbation n'est pas exclusive au foyer de familles alcooliques. Des familles supposément « normales » ont aussi leur part de hauts et de bas. Les enfants qui vivent dans des familles normales peuvent souffrir de problèmes de comportement et être émotivement confus. Cela peut être dû en partie à la croissance, bien que certains problèmes peuvent engendrer des difficultés plus sérieuses. La clé, c'est de connaître la différence et, dans un foyer compliqué par l'alcool, il est plus difficile de séparer les choses de façon réaliste.

Si les parents n'avaient pas été des enfants d'alcooliques, ils auraient pu reconnaître un comportement normal d'adolescent. On doit cependant apprécier leur grand souci de découvrir les faits. Mais il est un peu triste qu'ils n'aient pu reconnaître leur magnifique travail de parents... Ils élevaient un enfant très normal, en santé, qui traversait toutes les crises usuelles et normales d'un enfant de son âge. À cause de leur propre histoire, ils ne savaient tout simplement pas ce qui était *normal*.

Voilà un exemple du comportement de l'enfant d'un alcoolique. Ceci a une influence sur l'action des parents qui doivent deviner ce qui est normal.

L'histoire qui suit montre comment une telle situation peut influencer une relation entre les conjoints. Au moment où Beth et James sont venus me voir, James était en rétablissement dans les AA depuis seize ans; Beth avait passé la même période chez les Al-Anon. Ils formaient un couple très uni qui avait travaillé très dur et longtemps sur leur personnalité individuelle, sur leur relation familiale et sur leur mariage. Beth, qui était sur le point de subir une hystérectomie, considérait cette étape comme un point marquant dans sa vie. Elle avait passé toute sa vie à prendre soin de son mari, de ses six enfants et de la maison.

Elle voulait maintenant qu'on s'occupe d'elle. Elle voulait que ses enfants prennent soin d'elle et considérait que son mari devait laisser son travail, même s'il venait juste d'être nommé président d'une compagnie. Elle lui demanda de s'occuper de ses enfants et de répondre à tous ses besoins émotifs et physiques. Elle voulait que la terre tourne pour elle — précisément — et elle voulait que tout son entourage s'y plaise.

James lui accorda tout son appui, tout son encouragement, mais elle n'était pas sûre qu'il était sincère. Lorsqu'ils sont venus me voir, ils n'étaient pas sur la même longueur d'ondes.

Je savais que James, en plus d'être alcoolique lui-même, était l'enfant-adulte d'un parent alcoolique, ce qui signifiait qu'il avait évolué dans un environnement où il n'était pas sûr de ses sentiments. Il ne savait pas quelle était la bonne réaction à la situation. Il était confus et je savais qu'il fallait définir le problème.

Je me suis donc tournée vers James et lui ai dit : « Si j'étais vous, je ressentirais une foule de sentiments en ce moment. Je voudrais accorder toute l'attention possible à mon épouse, parce qu'elle est importante pour moi. Je croirais qu'elle s'en fait énormément à propos de son hystérectomie, que des femmes, dans le monde entier, doivent subir une hystérectomie et, bien qu'il s'agit là d'une grande opération, l'issue est rarement fatale et qu'elle s'en fait beaucoup pour rien. Bon nombre d'épouses de mes amis ont subi la même opération et elles n'en ont pas fait un drame comme Beth. Si j'étais vous, je me ferais un devoir d'être là le plus possible, mais j'y penserais deux fois avant d'annuler un voyage d'affaires ou de quitter le bureau avant le temps, au moment où je dois voir à la réalisation de certains projets. En songeant aussi aux difficultés que j'éprouve au bureau en plus de m'inquiéter de la bonne marche de la maison, de l'entretien des enfants, vous savez, je considérerais ce nouveau défi comme un lourd fardeau. J'aurais l'impression que nul ne pense à moi et que je dois m'oublier complètement, accepter tous ces rôles et en être heureux. J'éprouverais un certain ressentiment, sans pouvoir vraiment l'admettre, puisque je me trouverais mesquin d'éprouver ce sentiment envers la femme que j'aime, à un moment difficile de sa vie, où elle compte sur mon appui. »

Ma description était fondée sur les réactions typiques de cette situation. Bien que ces réactions fussent normales, voire prévisibles, il ne le savait pas. Comme enfant, il n'avait eu le droit d'exprimer que les sentiments que sa mère jugeait acceptables. Graduellement, au fil des ans, il avait appris à emprisonner ses sentiments dans son for intérieur. C'était beaucoup plus satisfaisant que de subir la désapprobation de sa mère. Jugeant ses sentiments inappropriés et voulant à tout prix éviter la désapprobation de son épouse, il se repliait encore aujourd'hui sur lui-même.

Il me fixa, bouche bée. Il avait certainement l'impression qu'il s'était complètement dévêtu, qu'il était complètement nu. Beth reprit : « Bien sûr que tu ressens toutes ces choses, James. J'en suis sûre. C'est précisément ce que je ressentais au moment où tu étais à l'hôpital, la dernière fois, et que j'ai pris soin de toi. »

On sentait la tension s'atténuer dans la pièce. Il se rendit compte que toutes les idées qu'il s'était faites de la situation étaient bien fondées, qu'elles étaient parfaitement naturelles et *normales*. Il venait de découvrir qu'en dépit de ce qu'il croyait, il n'était pas un vaurien qui n'aimait pas sa femme. Il fallait qu'on le lui dise.

Dès que j'ai appris qu'il était un enfant-adulte d'un alcoolique, je n'ai eu aucune difficulté à attirer l'attention sur la cause des problèmes de ce couple.

Beth recouvra la santé très rapidement après l'opération, James lui apporta son support, et depuis leur mariage se porte bien. Elle comprend mieux le fait que James ne connaît tout simplement pas certaines choses, et il comprend que ses réactions ne sont pas si étranges après tout, surtout celles qu'il a appris à réprimer au cours de son enfance.

2. Les enfants-adultes d'alcooliques éprouvent des difficultés à poursuivre un projet du début à la fin

J'avais choisi la procrastination comme sujet lors d'une réunion en soirée pour des enfants-adultes d'alcooliques. Lorsque je leur ai demandé d'expliquer ce que le terme voulait dire, les premières réponses furent : « Je suis le plus grand adepte de la procrastination du monde », ou « Pour une raison inexplicable, je semble incapable de terminer ce que je commence. » Lorsque je me suis adressée à ces enfants d'alcooliques, je leur ai demandé d'être un peu plus précis, voici ce que j'ai entendu.

Bob déclara : « Je comprends ce que vous voulez dire. Je vis cette situation présentement. J'ai eu des problèmes à mon travail en tentant de regrouper des informations et de les écrire sur un bout de papier. J'éprouve une incroyable difficulté à isoler les faits et à les décrire. Je lutte maladroitement jusqu'à ce que quelqu'un me dise : "Veux-tu bien me dire ce que tu fabriques? Fais ceci et ceci... et je veux ceci!" Et tout à coup, c'est évident et je me demande pourquoi je n'y avais pas pensé. Ça m'a fait peur. C'est mon travail. C'est essentiel pour ce que je fais maintenant. Ça ne peut durer indéfiniment. Je ne peux pas être comme un nouvel employé pour le reste de ma vie — je suis inquiet. »

Amy s'exprima ainsi : « Lorsque je rédige une longue dissertation, je trébuche et je me demande ce qui se passe en moi. Je ne peux tout simplement pas mettre de l'ordre dans mes idées — j'ai tout le matériel nécessaire, mais je ne peux l'imbriquer. J'ai beaucoup de difficultés à ne pas abandonner, même si je suis intéressée et que je veux me rendre jusqu'au bout. C'est une affreuse lutte. »

« Lorsque j'étais à l'université, j'avais abandonné des cours qui se retrouvaient comme des "F" sur mes relevés de notes. Je récoltais des A dans les matières que je suivais assidûment, mais les F me donnaient la nausée. J'ai peur parce que ce défaut affecte aussi mon travail. »

Ces commentaires sont assez typiques et il n'est pas difficile de comprendre la raison de ces difficultés. Ces gens ne sont pas des adeptes de la procrastination dans le sens courant.

Dans un foyer alcoolique, il existe généralement une surabondance de promesses.

Le poste de prestige était toujours sur le point d'être obtenu. La réalisation commerciale du siècle allait aboutir incessamment. Le travail qui doit être accompli à la maison le serait en un temps record. Le jouet qui doit être bricolé, la voiturette, la maison de poupée... et ainsi de suite.

« Je vais faire ceci. Je vais faire cela. » Non seulement « ceci » ou « cela » ne se fait jamais, mais l'alcoolique s'attribue le crédit d'avoir pensé à l'idée, même d'avoir eu l'intention de le faire. Et vous avez grandi dans cet environnement.

Souvenez-vous des projets qui ont été repoussés. La peinture du salon, par exemple. Souvenez-vous que l'alcoolique est sorti, s'est procuré la peinture, est revenu, a couvert tous les meubles de toile et ça lui a pris des années avant de finalement peindre les murs du salon. À moins que votre mère, quelque peu désespérée, ait décidé de les peindre elle-même.

Il y a eu beaucoup de projets comme celui-là, beaucoup de merveilleuses idées, mais rien ne se réalisait. Ou, s'il se réalisait enfin, il s'était passé tant de temps que vous aviez oublié le but original.

Qui prenait la peine de s'asseoir avec vous lorsque vous aviez une idée pour un projet et vous disait : « Voilà une bonne idée. Comment vas-tu t'y prendre pour la réaliser? Combien de temps y mettras-tu? Quelles sont les étapes? » Probablement personne. Vous souvenez-vous quand un de vos parents disait : « Quelle merveilleuse idée! Es-tu sûr que tu peux te rendre au bout? Peux-tu morceler ton projet en étapes plus simples? Peux-tu le réaliser? » Probablement jamais.

Cela ne veut pas dire que *tous* les parents qui ne sont pas alcooliques enseignent à leurs enfants la façon de régler les problèmes. Je souligne plutôt que, dans une famille fonctionnelle, un enfant peut compter sur un modèle de comportement et d'attitude. L'enfant observe le processus et peut même poser des questions. L'apprentissage peut être plus indirect que direct, mais il est néanmoins présent. Puisque votre expérience était tellement différente, je ne suis aucunement surprise que vous ayez un problème à suivre un projet du début à la fin. N'ayant pas vu un projet se réaliser, vous ne savez donc pas comment le réaliser. Le manque de connaissances n'est pas synonyme de procrastination.

Dans la dernière partie de ce livre, nous verrons comment vous pouvez changer cette situation alarmante.

3. LES ENFANTS-ADULTES D'ALCOOLIQUES MENTENT ALORS QU'IL SERAIT TOUT AUSSI FACILE DE DIRE LA VÉRITÉ

Le mensonge fait partie de la vie familiale affligée par l'alcool. Il fait ouvertement partie de la mascarade, du déni de la cruelle réalité, de la dissimulation, des promesses brisées et des contradictions. Le mensonge se manifeste sous diverses façons et comporte plusieurs implications. Bien qu'il s'agisse, par rapport à la définition habituelle, d'une façon différente de mentir, c'est certainement un éloignement de la vérité.

Le mensonge, le premier et le plus fondamental, est le *déni* de la famille devant le problème. Donc, prétendre que tout va bien à la maison est un mensonge, et la famille parle rarement et ouvertement de la vérité. Peut-être que, dans le for intérieur d'un des membres de la famille, il existe une certaine reconnaissance de la vérité, mais aussi un acharnement à la nier.

Le mensonge suivant, la *dissimulation*, est apparenté au précédent. Le membre non alcoolique de la famille sert de paravent à l'alcoolique. Au cours de votre enfance, vous avez vu votre parent sobre cacher les problèmes de votre parent alcoolique. Vous l'avez entendu formuler des excuses au téléphone pour justifier une tâche non accomplie ou un retard. C'était là une partie de votre vie dans le mensonge.

Vous avez aussi entendu bon nombre de promesses que vous a faites votre parent alcoolique. Ces promesses se sont aussi transformées en mensonges.

Le mensonge était devenu une norme dans votre foyer, faisant partie de votre apprentissage et de ce qui pouvait vous être utile. À certains moments, ces mensonges rendaient la vie plus confortable. Si vous mentiez à propos de la réalisation de vos travaux, vous pouviez vous en sauver pendant un certain temps, vous permettant une certaine paresse. Si vous pouviez, en mentant, cacher la raison pour laquelle vous ne pouviez amener un ami à la maison ou pour laquelle vous rentriez en retard, vous pouviez prévenir tout ce qui était désagréable, ce qui semblait arranger tout le monde.

Bien que votre famille vous enseignât que dire la vérité constituait une vertu, vous saviez que ce qu'elle affirmait n'était pas sincère. Et la vérité a petit à petit perdu sa signification.

Mentir devient une habitude. C'est l'essence même de l'énoncé « Les enfants-adultes d'alcooliques mentent alors qu'il serait tout aussi facile de dire la vérité. » Mais si vous avez grandi avec la croyance que mentir est naturel, ce n'est peut-être pas aussi facile pour vous de dire la vérité.

Dans ce contexte, « il serait tout aussi facile de dire la vérité » signifie que vous ne prenez aucune satisfaction réelle dans le mensonge.

Voici une série de commentaires formulés par des enfants-adultes d'alcooliques inquiets de leur vie dans le mensonge. Vous vous reconnaîtrez probablement, au moins en partie.

Joan, une conseillère en orientation de 26 ans dont la mère était alcoolique, affirmait :

Je me vois mentir et, à mi-chemin, je m'entends dire « Arrête! C'est un mensonge, ce n'est pas du tout comme ça. Recommençons depuis le début », mais je suis trop gênée pour le faire. Au cours de mon adolescence, je ne sais pas pourquoi je devais mentir, mais je sais tout simplement que je le faisais. J'inventais toutes sortes d'histoires afin qu'on porte attention à moi et je pense que je suis mal à l'aise de constater que je ne me suis pas fait prendre. Si les gens m'avaient parlé et m'avaient écoutée et connue, ils se seraient rendu compte que c'était de la foutaise... et que je mentais avec un certain talent. Parfois, je feignais la maladie au point de me rendre vraiment malade. J'étais même devenue une experte dans ce domaine. C'était tellement plus facile que de dire que je ne pouvais tout simplement pas faire ce que les autres faisaient.

Je sentais que c'était pénible de vouloir, mais de ne pas pouvoir cesser de mentir. Je perdais la face. C'était triste, je détestais me retrouver dans cette situation. Il y avait toujours une certaine panique, une peur de me faire prendre. J'aurais peut-être même accepté de me faire prendre afin d'en finir avec ce cirque, parce que je ne croyais pas pouvoir le maintenir. Je ne savais tout simplement pas comment y arriver et je repartais à inventer des choses. À ce point, la vie devint très compliquée. J'ai même ressenti le besoin de mettre fin à des amitiés parce que je ne pouvais plus me souvenir des mensonges. Je veux cesser de mentir, je veux vraiment cesser. Lorsque je me retrouve au milieu d'un mensonge, j'ai peur à en mourir. Je voudrais tout simplement dire : « Un instant! » faire marche arrière et passer directement à la vérité. Je ne sais vraiment pas quoi faire. Lorsqu'il s'agit d'une toute petite chose, stupide, sans conséquence, je me sens un peu idiote.

Jeff, ingénieur de 30 ans avec deux parents alcooliques en cours de réhabilitation, me confiait :

Je me souviens d'une occasion où j'ai vraiment menti de façon magistrale, au moment d'une excursion dans les Montagnes Blanches avec quelques amis. Nous marchions d'une cabane à l'autre, dans la neige, sur un parcours de quelques kilomètres. La température chuta soudainement et j'avais très très froid. J'avais sauté le petit déjeuner, nous étions à court de temps pour préparer nos effets, et j'avais juste mangé quelques morceaux de chocolat, ou quelque chose du genre. Je me suis mis à courir afin de rattraper le groupe. Chemin faisant, nous nous sommes espacés. Le vent soufflait avec rage et il y avait beaucoup de neige. J'ai commencé à être en retard sur les autres et je me souviens d'avoir eu du ressentiment parce qu'ils ne s'arrêteraient pas pour m'attendre, mais en même temps, j'étais frustré de ne pouvoir maintenir le pas avec eux.

J'avais lu un livre sur l'hypothermie. Je savais ce qu'il fallait faire pour monter une mise en scène. J'ai ralenti la marche derrière eux et, voulant afficher des symptômes d'imprécision, je me suis éloigné du sentier. Au moment où ils se sont regroupés et se sont demandé où j'étais, nous avions gaspillé une bonne heure. Ils sont revenus vers moi et suivirent la méthode qu'on utilise généralement pour soigner quelqu'un contre l'hypothermie. J'avais besoin de cette attention et j'imagine que j'en étais rendu au point où j'aurais fait à peu près n'importe quoi pour l'obtenir. Ils m'avaient distancé, je traînais derrière et personne ne s'en était aperçu. Nous étions en pleines montagnes et j'aurais pu mourir de froid, et avec les idées que je me formulais, il était facile de suivre la progression. Alors voilà — je vais mourir de froid. On verra bien de quelle façon vous réagirez lorsque je deviendrai victime d'hypothermie.

En réalité, j'avais dépensé 300 $ pour de l'équipement sophistiqué et j'aurais pu dormir dans la neige pendant un mois sans geler. Donc, je leur faisais simplement accroire. J'avais peur de me faire prendre. Je savais ce que je devais faire, mais j'étais physiquement incapable d'accomplir les mêmes choses qu'eux.

J'ai appris, quand j'étais enfant, que la vérité n'avait aucune espèce d'importance. Lorsque mes parents étaient aux trois quarts ivres, ce que l'on disait ou ne disait pas importait peu.

Lorsque ma mère était ivre, elle vivait dans son petit monde, et la conversation gravitait autour de l'âge de la machine à laver ou du réfrigérateur, ou quelque chose du genre. Je n'en faisais justement pas partie. Aucun commentaire comme « Tes notes à l'école sont insuffisantes » ou autres trucs du genre — je n'étais tout simplement pas là.

C'était à peu près la même chose pour mon père. Il était tout aussi isolé. Donc, il n'y avait aucune vérité, aucun mensonge. On pouvait dire ce qu'on voulait, on pouvait danser nu avec une rose entre les dents, sans qu'il s'en rende compte.

Steve, 36 ans, conseiller en alcoolisme avec deux parents alcooliques, nous fait part des faits suivants :

Que dire du désir de survivre? Enfant, j'étais devenu un menteur accompli, surtout en sélectionnant ce que je dirais. Lorsque mon père me posait une question, si je lui répondais franchement, il critiquait toujours la réponse. J'ai donc cessé de lui répondre avec franchise et je me suis rendu compte que ça fonctionnait très bien. Lorsqu'il critiquait la réponse mensongère, je pouvais rejeter ses remarques comme étant d'aucune valeur pratique, puisque, de toute façon, ce que je lui avais dit était faux. Au cours des années, j'ai maintenu le même jeu. Quatre-vingt-dix-huit pour cent des fois je suis honnête et j'ai une bonne réputation en ce sens, mais j'ai toujours conservé un deux pour cent en réserve. Je pense que j'ai commencé à limiter mes mensonges à un minimum avec les gens parce que je me suis retrouvé à un point où j'éprouvais beaucoup de difficulté à me rappeler ce que j'avais dit.

Il faut que je fasse une distinction entre mentir à propos d'incidents et mentir à propos de sentiments. Lorsqu'il s'agit de sentiments, il m'est très difficile d'être honnête envers moi-même et envers les autres.

Dans ma famille, ma mère avait acquis la réputation d'être une menteuse pathologique. J'imagine que, dans le but d'attirer l'attention, j'avais besoin d'exagérer les faits pour m'attirer une certaine reconnaissance de la part de mes parents. Lorsque l'un ou l'autre était ivre, ou les deux, il était facile de mentir et de se sauver d'à peu près tout. D'ailleurs, ils n'étaient pas très habiles eux-mêmes pour négocier. Si j'inventais une histoire, j'avais l'impression qu'ils la préféraient à la vérité. Ils ne voulaient pas en connaître davantage, en autant que je n'étais pas arrêté ou que je ne les plaçais pas dans une situation embarrassante.

J'ai vite compris que dire la vérité était probablement la pire chose à faire. Mentir était bien, et tout ce qu'il me fallait, c'était d'être assez habile pour dissimuler les faits. J'ai rarement eu des problèmes, donc ma crédibilité a rarement été mise en doute.

Sandra, une jeune femme de 23 ans, avec deux parents alcooliques, nous dit ceci :

Mentir est une chose que je ne tolère absolument pas chez les autres. Mon ex-mari m'a menti avant notre mariage, et j'ai failli rompre. Je me mens constamment et ne sais pas pourquoi. Je me fabrique une idée ou un concept et j'affirme que c'est ce que je ressens, et j'y crois au plus profond de moi-même. Quelque part, en cours de route, tout comme une gifle, je me dis : « Tu n'y crois aucunement. » Pendant tout ce temps, je me suis fait des illusions et je peux encore le faire — me mentir — mais j'éprouve beaucoup de difficulté à mentir aux autres. Je veux dire que je refuse de mentir intentionnellement. Mais, si j'en arrive au point où je dois être trop honnête, il m'arrive de mettre fin à une amitié. Je m'éloigne lorsque cela devient difficile d'être honnête.

Il existe très peu de gens envers lesquels je suis honnête en ce qui a trait à mes sentiments. Intérieurement, je peux être complètement brisée, mais si quelqu'un me demande comment je vais, je réponds : « Très bien ».

Dans mon travail, je suis honnête, mais je ne partage rien, alors pourquoi être malhonnête? Chez les AA, je partage quelque peu, mais pas beaucoup. Lorsque je suis réellement honnête, les gens me regardent comme si j'étais étrange.

Je me considère honnête parce que j'étais la fille d'un ministre du culte et j'ai été élevée avec le précepte « Tu ne mentiras point. » Et maintenant, quand j'y pense, je me rends compte que ma mère ne m'a jamais crue. Elle ne m'a jamais crue lorsque j'étais une enfant qui grandissait. Un jour, j'ai couru de l'école jusqu'à la maison, parce que des enfants m'avaient lancé des pierres. Rendue à la maison, j'en ai parlé à ma mère, et elle m'a dit : « C'est faux, tu mens. » J'avais perdu le souffle, j'étais épuisée, les larmes glissaient le long de mes joues et elle refusait toujours de me croire. Cela se produisait souvent.

Une autre fois, des enfants m'ont bousculée et j'ai déboulé quelques marches de briques; mon dos était couvert d'ecchymoses. Elle n'a pas voulu me croire. Elle refusait de croire que des enfants auraient fait ça à sa fille. J'avais l'impression que je me frappais la tête contre un mur de pierres sans parvenir à le franchir. C'est probablement la raison qui me porte à faire attention à ce que je veux partager maintenant. Je ne veux pas que l'on doute si je dis la vérité. Je refuse de prendre ce risque. Je préfère donc peu partager.

Ces gens, en exprimant ce que le mensonge signifie dans leur vie, ont une conscience de soi élevée et une honnêteté à toute épreuve en révélant leurs difficultés à dire la vérité. Il s'agit de la première étape pour changer cet aspect de leur personnalité. Si vous le désirez, vous pouvez aussi changer.

4. LES ENFANTS-ADULTES D'ALCOOLIQUES SE JUGENT SÉVÈREMENT

Lorsque vous étiez enfant, il vous était impossible d'être à la hauteur de la situation. On vous critiquait constamment. Vous croyiez que votre famille serait mieux sans vous parce que vous étiez la cause des problèmes. On vous a peut-être critiqué pour des choses insensées. « Si tu n'étais pas un enfant aussi nul, je ne serais pas obligé de boire. » Ça n'a aucun sens, mais si on entend une chose assez souvent, pendant une période de temps assez longue, on finit par y croire. Il en résulte que, dans son for intérieur, on perçoit ces critiques comme autant de sentiments personnels négatifs. Ils demeurent même si personne ne vous en parle plus.

Puisqu'il n'y a aucune façon d'atteindre les degrés de perfection que vous vous êtes créés depuis l'enfance, vous manquez toujours l'objectif que vous vous fixez. Comme enfant, quels qu'aient été vos réalisations et vos efforts, on vous demandait toujours d'essayer de faire davantage. Lorsque vous obteniez un A, on vous rappelait que ça aurait dû être un A+. Ce n'était jamais assez. Un de mes clients m'a confié que sa mère exigeait tellement de lui que, lorsqu'il fit son entraînement militaire, il trouva les sergents mous. Donc, cet état d'esprit s'est intégré à votre personnalité, à ce que vous êtes, et reflète la façon dont vous vous voyez. Les « doit » et les « ne doit pas » peuvent vous paralyser au bout d'un certain temps.

Ces gens peuvent maintenir avec succès une image de soi négative même en présence de preuves contraires. C'est ainsi que cela fonctionne. Lorsque quelque chose ne va pas, c'est de votre faute. Vous auriez dû le faire autrement et les choses se seraient mieux déroulées. Tout ce qui est bien, qui fonctionne bien, doit en partie émaner d'une autre personne que vous. De toute façon, cela était pour se produire. Ou, s'il était évident que vous étiez responsable d'un dénouement positif, vous l'éloigniez du revers de la main en disant: « Oh! c'était facile. C'était sans conséquence. »

Il ne s'agit pas d'humilité, mais plutôt d'une distorsion de la réalité. Il semble plus prudent de maintenir une image de soi négative puisque vous y êtes habitué. Le fait d'accepter des félicitations, parce que vous avez été compétent, signifie changer votre façon de vous voir, et signifie que vous devriez peut-être vous juger avec un peu plus de douceur — et être capable d'accepter plus facilement en disant : « J'ai commis cette erreur, cependant, je ne suis pas une erreur. »

Un exemple du type de jugement automatique que j'entends fréquemment trouve toute son ampleur dans la déclaration d'Édith. Elle m'a fait part de son opération, de son retour de l'hôpital, et de l'appel qu'elle fit à sa mère afin que cette dernière vienne prendre soin d'elle.

C'est moi qui ai subi une intervention chirurgicale, et voilà que ma mère se met à attaquer tous mes amis au moment où ils franchissent la porte pour me rendre visite. Elle a eu une engueulade avec une de mes amies et en est presque venue à lui tirer les cheveux; mon amie en a fait autant. À la fin de la soirée, je prenais soin de ma mère. C'est moi qui lui offrais une tasse de thé chaud pour la calmer quand c'était moi qui avais besoin de thé, d'amour et de sympathie. Mais je sais que la vraie raison qui m'a portée à me fâcher contre ma mère, c'était parce qu'elle ne me soignait pas à ma façon. Elle ne s'acquittait pas de sa tâche de la façon dont je voulais qu'elle le fasse et j'étais très égoïste.

Édith se sentait coupable d'avoir voulu que les choses soient faites à sa manière. Elle se condamnait parce qu'elle n'était pas bien et voulait qu'on s'occupe d'elle. Elle me confia :

Je fais toujours cela. C'est une des dimensions les plus fortes de ma personnalité. Je juge tout ce que je fais et, pour moi, tout est noir ou blanc. C'est soit tout mauvais, soit tout bon. Il n'y a pas de milieu. La plupart des choses que je me vois faire sont mauvaises, et même si intellectuellement je sens qu'il y a du bon, émotivement je ne peux rien sentir.

La sensation d'Édith est assez typique. J'ai travaillé avec une autre cliente sur les « devrait ». Elle en était rendue au point où elle était complètement immobilisée, et je lui ai demandé de dresser une liste de tous les « devrait » qu'elle se donnait dans une journée. La liste était énorme. Lorsqu'elle fut capable de la regarder objectivement, elle rit et ajouta : « Il faut que je cesse de me juger. Je ne me jugerai plus, même si j'ai entièrement tort. »

Se juger négativement est l'une des choses que vous faites le mieux, parce que c'est enraciné dans votre personnalité. Il se peut même qu'à l'occasion vous en éprouviez un certain plaisir ou une satisfaction.

Les enfants-adultes d'alcooliques que je connais qui se sont joints aux AA et aux Al-Anon ne peuvent tout simplement pas attendre de se rendre à la Quatrième ou Cinquième Étape. La Quatrième Étape est : « Nous avons courageusement procédé à un inventaire moral, minutieux de nous-mêmes. » La Cinquième Étape est : « Nous avons avoué à Dieu, à nous-mêmes et à un autre être humain la nature exacte de nos torts. »

Lorsque je les vois faire ces Étapes peu de temps après leur adhésion au programme, je sais ce qu'ils feront. Ils interprètent les Étapes Quatre et Cinq comme une excellente occasion de s'en prendre à eux-mêmes. Ils se jugent à partir de caractéristiques qu'ils n'ont même jamais su qu'ils avaient. Toutes ces caractéristiques sont négatives. Il n'y a jamais une caractéristique positive dans leur démarche. Ils mordent dans ces Étapes. Donc, l'idée de se flageller devant quelqu'un leur semble absolument irrésistible.

Si je suggère qu'une série de consultations peut constituer une forme d'inventaire moral qui pourrait se faire un peu plus tard, en bonne et due forme, ça n'a aucune importance. Il n'existe aucune façon de les retenir. Je les avertis qu'ils sont sur le point de s'en payer toute une. Ils vont le faire de toute façon, puis vont en revenir. C'est là que je ramasse les morceaux et nous continuons à partir de ce point. Un peu plus tard, ils refont les Étapes Quatre et Cinq avec plus de succès. Mais au début, c'est une excellente occasion de se punir.

Votre jugement envers les autres est loin d'être aussi cruel que votre jugement envers vous-même, même s'il vous est difficile de voir le comportement homogène des autres. Noir ou blanc, bon ou mauvais, voilà essentiellement comment vous voyez les choses. D'un côté comme de l'autre, cela constitue une responsabilité terrifiante. Vous savez ce que l'on ressent lorsqu'on est mauvais, et comment ces sensations nous font agir. Ensuite, lorsqu'on est bon, il y a toujours le risque que ça ne dure pas. Donc, d'une façon ou d'une autre, on s'expose. Quoi qu'il arrive, on ressent une énorme tension en tout temps. Comme la vie est difficile et stressante; comme il est difficile de s'installer confortablement, de relaxer et de dire : « C'est bien d'être ce que je suis. »

5. Les enfants-adultes d'alcooliques ont du mal à s'amuser

ET

6. Les enfants-adultes d'alcooliques se prennent très au sérieux

Ces deux caractéristiques sont étroitement liées. Si vous éprouvez une certaine difficulté à vous amuser, vous vous prenez probablement très au sérieux; et si vous ne vous prenez pas au sérieux, les chances sont que vous pourrez avoir du plaisir dans la vie.

Une fois de plus, afin de comprendre ce problème, vous avez besoin de passer en revue votre enfance. Était-elle vraiment amusante? Vous n'avez pas à répondre à cette question, car les enfants d'alcooliques n'ont tout simplement pas beaucoup de plaisir. L'enfant d'un alcoolique décrivait cela comme « trauma chronique ». Vous entendiez rarement vos parents rire et s'amuser. La vie était une entreprise sérieuse et pleine de colère. Vous n'avez jamais réellement appris à vous amuser avec les autres enfants. Vous pouviez vous joindre à certains des jeux, mais étiez-vous capable de vous abandonner et de vous amuser? Si vous le faisiez, vous ne receviez pas d'encouragement. Le climat familial étouffait votre désir d'avoir du plaisir. Parfois, vous suiviez les autres, mais s'amuser n'était tout simplement pas amusant. Il n'y avait aucune place pour jouer dans votre maison. Comme on était loin de vous y inciter, vous avez abandonné. La spontanéité de votre enfant intérieur était étouffée.

L'été dernier, à un camp pour enfants de parents alcooliques, les membres du personnel, des enfants-adultes d'alcooliques, jouaient probablement pour la première fois de leur vie. « Le seul autre camp que j'ai connu était au Vietnam », de dire l'un des moniteurs. D'autres affirmaient que c'était la première fois qu'ils avaient lancé un *Frisbee*. Ils devenaient comme des enfants qui s'amusent, et c'était pour eux une toute nouvelle expérience.

Donc, il n'est pas surprenant que vous n'ayez pas de plaisir. Vous êtes probablement même en désaccord avec ceux qui font des niaiseries, en vous disant : « Regarde-le donc, il se couvre de ridicule. » Mais, quelque part dans votre for intérieur, vous aimeriez en faire autant.

À la Rutgers University Summer School for Alcohol Studies (Session d'été de l'Université Rutgers pour les études sur l'alcool), certains d'entre nous jouaient à la balle pendant que d'autres regardaient. Des enfants-adultes d'alcooliques m'ont confié plus tard qu'ils auraient vraiment aimé se joindre à nous. « Je voulais tant me joindre à vous, mais je ne pouvais me résoudre à le faire. Je ne voulais pas passer pour un idiot. »

L'enfant spontané qui a été anéanti, il y a tant d'années, combat pour se libérer. La tension pour être adulte contribue à garder l'enfant refoulé. Vous êtes en guerre avec vous-même. Mais la peur de l'inconnu l'emporte. Après tout, qu'arriverait-il si un jour cet enfant obtenait sa liberté? Et qu'est-ce que cela signifierait? C'est pourquoi vous rationalisez.

S'amuser, lâcher son fou, agir comme un enfant, c'est faire l'idiot. Il n'est pas surprenant que les enfants-adultes d'alcooliques éprouvent beaucoup de difficulté à avoir du plaisir. La vie est beaucoup trop sérieuse.

Vous éprouvez aussi beaucoup de difficulté à vous séparer de votre travail, vous vous prenez donc au sérieux dans toute tâche qui vous est confiée. Vous pouvez prendre le travail au sérieux, mais non vous-même. Vous êtes donc un candidat tout désigné pour faire un *burnout*.

Un soir, en parlant de son travail, Abby s'est tournée vers moi avec un visage grimaçant de colère : « Tu m'amènes à rire de moi-même, mais je veux que tu saches que je ne trouve pas ça drôle du tout. »

7. LES ENFANTS-ADULTES D'ALCOOLIQUES ONT BEAUCOUP DE DIFFICULTÉ DANS LEURS RELATIONS AMOUREUSES

Les enfants d'alcooliques désirent grandement avoir des relations amoureuses saines, ce qui leur est très difficile pour plusieurs raisons.

La première raison et la plus évidente vient du fait qu'ils sont dépourvus de modèle de référence pour une relation amoureuse saine, tout simplement parce qu'ils n'en ont jamais vu. Leurs parents constituent la seule référence, laquelle a été, comme on le sait, malsaine.

Ils portent aussi en eux l'expérience du « approche », « va-t'en » — cette contradiction dans une relation d'amour parent-enfant. Ces gens se sentent aimés un jour, rejetés le lendemain. La crainte d'être abandonnés représente pour eux une peur terrible qu'ils conservent en grandissant. Si cette crainte n'est pas envahissante, elle constitue certes un frein. Ne sachant pas à quoi ressemble une relation amoureuse harmonieuse, saine, jour après jour, avec une autre personne, complique les possibilités d'en créer une et peut rendre l'expérience pénible.

Les dimensions « pousse-tire », les « approche-rejet », les « Je te désire — Va-t'en », la grande terreur de la proximité et, malgré tout, le désir et le besoin d'une relation amoureuse sont magistralement exprimés dans un poème de John Gould.

Pourquoi es-tu près de moi?

Je ne te désire point.
Je n'ai point besoin de toi.
Je n'ai point besoin de te voir.
Pourtant, tu reviens toujours.
Je ne te comprends pas.
Une jolie fille comme toi
Devrait pouvoir trouver
Quelqu'un d'autre.
Je te rejette et
Tu ne cesses
De revenir.
Partout où je regarde,
Je te vois.
Tu prends tout simplement

Une trop grande partie
De mon temps.
Pourquoi es-tu près de moi?
Pourquoi ne pars-tu pas?
Tu es partie?
Bon!
Que voulais-tu
Avec un gars comme moi?
L'amour.
Je t'en prie, reviens.
Elle est partie.

Les lignes qui suivent illustrent le même conflit. Yves vivait l'une de ses premières relations amoureuses et décrit ce qui s'est passé.

La semaine dernière, Julie m'a apporté des fruits. J'aime bien le punch hawaïen et j'en buvais beaucoup. Elle avait prélevé certaines étiquettes des contenants, les avait placées sur les fruits et me les avaient présentées. J'avais le goût de pleurer. Elle croyait que mon alimentation n'était pas suffisante, ou quelque chose du genre, et avait décidé de m'apporter ces fruits. Elle ne m'avait pas seulement apporté des fruits, elle avait aussi collé ces petites étiquettes stupides sur les fruits.

C'était tellement important pour lui qu'il avait le goût de pleurer, mais il lui fallait trouver une façon de se retenir. « Pousse », « tire » : le combat interne se répète et se répète.

Maude en parle d'une autre façon. Maintenant adulte, elle vit encore les mêmes confusions en raison de ses expériences passées.

C'est tellement plus facile de faire face aux émotions profondes et négatives qui me concernent, surtout les émotions dans mes relations amoureuses avec les hommes. Je rejetais quiconque était prêt à m'aimer. J'ai l'impression que la seule façon pour moi de tomber en amour avec quelqu'un, c'est qu'il soit absolument parfait, qu'il entre chez moi et qu'il existe une relation amoureuse parfaite, automatiquement et instantanément. Sinon, je n'en veux pas.

Je peux m'intéresser à une personne, faire les premiers pas et dès qu'elle s'intéresse à moi, je décroche. L'attrait est tout simplement parti. C'en est rendu au point où la plupart du temps je ne me donne plus la peine, parce que je sais ce que je vais faire de toute façon. Alors pourquoi s'en donner la peine? Je ne suis pas sûre si j'ai peur d'aimer ou si j'ai peur d'être aimée. La seule chose qui me vient à l'esprit, c'est d'avoir peur de ne même pas savoir que l'amour est réel, ou si l'amour est réel, de le perdre de toute façon.

Ainsi, la crainte de l'abandon gêne le développement d'une relation amoureuse. La progression de toute relation saine demande de donner et de recevoir beaucoup en plus d'être capable de régler les problèmes. Il y a toujours certains désaccords et certaines irritations qu'un couple doit résoudre. Un petit désaccord devient important très rapidement pour un enfant-adulte d'alcoolique puisque la question d'abandon passe toujours avant la question originale du désaccord.

Maude est profondément affectée par la possibilité d'abandon.

Lors d'une relation amoureuse, je prends tout très sérieusement. Si j'ai l'impression qu'on ne me traite pas de la bonne façon, je réagis avec colère et panique. Et, « Oh, mon Dieu! » je deviens tendue, dis des choses et réagis avec colère, sachant bien que mon partenaire n'aura pas le goût de rester avec moi. D'une manière ou d'une autre, je n'en vaux pas la peine. Je vois toujours ces partenaires comme étant de braves types. Même si je me sens digne d'eux, ils partent de toute façon et je ne peux rien faire pour les retenir. J'ai l'impression de toujours être obligée de faire des choses pour les retenir. C'est comme si je m'entendais toujours dire : « Ne me quitte pas. »

Nancy partage les mêmes sentiments.

J'ai une véritable réaction de panique lorsque quelqu'un se fâche contre moi. Cette sensation est tellement intense que je ne sais jamais quoi faire. Lors de petits désaccords, la crainte grandit et c'est toujours l'escalade. Je pense que j'aimerais bien savoir comment les gens traitent le rejet parce que, pour moi, ça devient beaucoup plus une question d'abandon.

Ayant cette crainte de l'abandon, on perd confiance en soi, on n'est plus bien dans sa peau — on ne croit plus être aimable et on se tourne vers les autres pour chercher ce que l'on ne peut donner nous-mêmes, afin de se sentir bien. Cette sensation, on l'obtient lorsqu'une autre personne nous affirme que l'on est bien. Il va sans dire que

l'on abandonne ainsi beaucoup de pouvoir. Dans une relation amoureuse, on donne à l'autre personne le pouvoir
de nous élever ou de nous abaisser. On vit une merveilleuse relation si l'autre nous traite bien et nous dit
qu'on est superbe, mais quand il cesse de le dire, ces sensations de bonheur ne nous habitent pas longtemps.

Voici des exemples précis, entendus lors d'une réunion d'un des groupes d'enfants d'alcooliques que j'ani-
mais.

Michel prit la parole :

*J'ai peur du rejet, je dépends beaucoup des autres.
Toutes les fois où je suis avec le groupe, je cherche à
obtenir l'approbation de Jan. Je sais que c'est bête. Ce
serait bien, mais je préférerais ne pas avoir ce besoin.
J'aimerais ne plus avoir ce besoin de rechercher constamment une approbation pour tout ce que je fais. C'est
gênant et ça demande beaucoup de mon temps. Je recherche constamment un auditoire.*

Raymond était d'accord avec lui.

*C'est une chose à laquelle j'ai pensé, moi aussi. Je me
pose des questions sur le combat mené, devant un auditoire approbateur, par ceux et celles qui se réunissent
pour travailler ensemble sur eux-mêmes, parce que je
pense qu'une telle démarche provoque une approbation. J'ai à quelques reprises pensé que de devenir un
membre du groupe n'était peut-être qu'une façon très
raffinée d'obtenir cette approbation.*

Ces craintes accablantes d'abandon ou de rejet éliminent toute facilité dans le processus d'élaboration d'une relation. En plus, un sentiment d'urgence se manifeste : « C'est la seule chance que j'ai; si je ne le fais pas maintenant, ça ne se reproduira jamais. » Cela tend à peser sur la relation et à rendre beaucoup plus difficile la lente évolution nécessaire qui permet à deux personnes de mieux se connaître et d'explorer les sentiments et les aptitudes de chacun dans divers domaines.

Ce sentiment d'urgence porte l'autre personne à se sentir étouffée, même si ce n'est pas là l'intention. Je connais un couple qui vit avec un problème énorme parce que, chaque fois qu'ils se querellent, elle s'inquiète en pensant qu'il pourrait la laisser. Elle doit constamment être rassurée au milieu de la dispute. Il doit lui répéter qu'il n'a pas l'intention de la laisser et qu'il l'aime toujours. Lorsqu'il est en conflit, une situation aussi difficile pour lui, il a tendance à se retirer, voulant être seul. Il va sans dire que le règlement de la querelle est plus difficile si d'autres éléments viennent s'ajouter au problème d'origine.

Le manque de sécurité, la difficulté à faire confiance et les questions au sujet de la possibilité d'être blessé ne sont pas exclusifs aux enfants-adultes d'alcooliques. Il s'agit là de problèmes vécus par la plupart des gens. Très peu de personnes s'installent dans une relation avec une pleine confiance que les choses fonctionneront de la façon qu'elles avaient espéré. Cette union démarre avec beaucoup d'espoir, mais aussi avec des craintes diverses.

Donc, les choses qui vous portent à vous inquiéter ne sont pas uniques à votre personnalité. C'est simplement une question de degré : votre situation d'enfant d'un alcoolique fait que les difficultés ordinaires deviennent plus intenses.

Les enfants-adultes d'alcooliques ne semblent pas avoir plus ou moins de problèmes sexuels que la population en général.

Après avoir parlé à un bon nombre d'enfants-adultes d'alcooliques de leur sexualité, j'ai découvert que leurs conversations, leurs attitudes et leurs sentiments n'étaient aucunement différents des autres. Les complexes chez certains avaient beaucoup plus rapport à la religion et à la culture qu'à ce qui se passait à la maison.

Ce qui ne veut pas dire qu'il ne se passait pas des choses assez bizarres chez eux. Cela veut dire que ce qui se passait chez les alcooliques n'était ni plus ni moins bizarre que ce que j'ai pu voir dans d'autres foyers.

Les professionnels dans le domaine de l'alcool regardent maintenant de plus près le problème de l'inceste. Nous tentons vraiment de le comprendre afin de pouvoir provoquer des changements sains chez nos clients. Je doute fort que les alcooliques soient plus coupables d'inceste que tout autre groupe. Il se peut que le problème se manifeste plus souvent lorsque l'adulte est ivre que lorsqu'il est à jeun, mais nous parlons ici d'alcooliques, et non de quelqu'un qui est excité par l'alcool.

Au sujet du sexe en général, les enfants d'alcooliques n'ont jamais pu s'asseoir avec leurs parents pour en parler. Cependant, je ne crois pas que cette situation leur soit exclusive. Parler de sexualité est difficile pour les gens, qu'ils vivent ou non avec l'alcoolisme. D'une certaine façon, c'est plus excusable au sein d'une famille alcoolique. Lorsqu'on se sent trop emprisonné, comme dans une cage d'écureuil, pour parler de quoi que ce soit, on ne fait pas de différence entre le sexe et autre chose.

Nous savons tous que la relation sexuelle des parents s'effondre comme toutes les autres formes de communication. Nous savons de plus que, selon l'offre et le refus, le sexe devient une arme, une expérience malsaine entre les deux partenaires, comme toutes les autres situations qui les entourent. Je sais que le sexe est souvent utilisé comme une arme dans des foyers non touchés par l'alcoolisme.

Je ne prétends pas que les enfants-adultes d'alcooliques ont nécessairement une bonne attitude sexuelle, mais je ne prétends pas le contraire non plus. J'ai découvert par expérience que les enfants-adultes d'alcooliques n'ont ni plus ni moins de problèmes avec leur sexualité que toute autre personne.

8. LES ENFANTS-ADULTES D'ALCOOLIQUES RÉAGISSENT AVEC EXCÈS DEVANT TOUT CHANGEMENT QU'ILS NE PEUVENT CONTRÔLER

C'est très simple à comprendre. Le jeune enfant de l'alcoolique n'était jamais en position de contrôle. La vie d'un alcoolique lui était imposée, tout comme son environnement.

Afin de survivre lorsqu'il grandissait, il lui fallait renverser la vapeur. Il devait commencer à prendre en charge son environnement. Ce changement était très important et l'est toujours. L'enfant de l'alcoolique apprend à se fier plus à lui-même qu'à tout autre, puisqu'il lui est impossible de compter sur le jugement d'une autre personne.

Par la suite, on vous accuse souvent de tout vouloir contrôler, de manquer de flexibilité et de spontanéité, et c'est probablement vrai. Ça ne vient pas du fait que vous voulez toujours faire à votre tête, et ce n'est pas parce que vous êtes gâté ou refusez d'écouter les idées des autres. Votre comportement provient de la crainte que vous perdiez le contrôle de votre vie si vous n'êtes pas en position de contrôle ou si un changement se manifeste de façon abrupte, rapide, sans que vous puissiez y participer.

Il n'y a pas de doute qu'il s'agit là d'une réaction excessive qui généralement provient du passé de la personne touchée. À ce moment, la chose qui vous a fait réagir avec excès peut sembler insensée aux autres, mais il s'agit d'une réaction automatique. « Tu ne peux pas me faire ça. Non, je n'irai pas voir un film alors que nous avions décidé d'aller patiner. » C'est presque un réflexe involontaire.

Plus tard, lorsque vous pensez à vos réactions et à votre comportement, vous vous croyez un peu idiot, mais sur le moment, vous étiez tout simplement incapable de faire autrement.

9. LES ENFANTS-ADULTES D'ALCOOLIQUES CHERCHENT CONSTAMMENT L'APPROBATION ET L'AFFIRMATION

Des yeux qui cherchent,
Scrutant tous les recoins de la pièce
en une fraction de seconde —
Des sourcils
qui s'avancent sur le front;
Des doigts tendus, froids et incertains
contrôlent l'air autour d'elle —
apaisant son esprit confus
sur la vérité de son existence;
Se voyant dans le miroir de l'esprit des autres,
Elle croit peu à sa propre image —
acceptant son existence comme un reflet
que la brume dissipe rarement,
le miroir est un verre
et son âme est mise à nue
Sait-elle qu'elle s'appartient —
Vraiment.

— MARYA DEPINTO

Nous parlons de points externes et internes de contrôle. Lorsqu'un enfant naît, l'environnement détermine essentiellement la façon dont il se sentira envers lui-même. L'école, l'église et les gens autour de lui ont tous une influence, mais la plus grande influence lui vient de « personnes importantes ». Dans le monde de l'enfant, ce sont ses parents. Donc, l'enfant commence à croire qui il est à partir des messages qu'il reçoit de ses parents.

En grandissant, ces messages sont assimilés et contribuent grandement à créer l'image qu'il se fait de lui-même. Le mouvement penche vers le point interne de contrôle.

Le message que vous avez reçu durant votre enfance était très confus. Ce n'était pas de l'amour sans condition. Ce n'était pas du genre : « Je pense que *tu es* formidable, mais je ne suis pas vraiment fier de ce que tu viens de faire. » Les définitions n'étaient pas claires et les messages étaient confus. « Oui, non, je t'aime, va-t'en. » Vous avez donc grandi dans une certaine confusion face à vous-même. Les affirmations que vous n'avez pas reçues sur une base quotidienne durant votre enfance, vous les interprétez comme négatives.

Maintenant, lorsqu'on vous fait une affirmation, c'est très difficile à accepter. L'acceptation comme telle signifierait le commencement de la transformation de l'image que vous vous êtes faite de vous-même.

Lou avait vécu ce problème mais commençait à changer.

Au cours des quatre derniers mois au travail, beaucoup de gens m'ont dit : « Tu es vraiment une personne gentille. Je suis heureux que tu sois ici. » Les gens m'ont répété ces choses plusieurs fois et j'ai beaucoup de difficulté à les accepter. Je me demande ce qui va se produire plus tard. « Lou, tu es bien gentil, mais... » C'est ce que j'entendais quand j'étais jeune. Le « mais » faisait toujours très mal. Maintenant je dis : « Merci ». Je me pose encore des questions au sujet du « mais », mais je commence à croire que c'est moi qui ajoute un « mais » à leur message... et non eux.

Un autre membre du groupe m'a parlé d'une relation amoureuse qu'il a interrompue parce que son affirmation l'aurait conduit à changer. « Après nos rencontres de la semaine dernière, dit-il, il m'est venu à l'esprit que ma relation avec Cindy n'était peut-être pas allée plus loin parce que je lui plaisais, et puisque je lui plaisais, j'en ai déduit qu'elle n'avait pas beaucoup de valeur. »

Toute personne qui croyait en lui ne pouvait pas avoir beaucoup de valeur. Ce raisonnement défaitiste eut pour conséquence sa perte d'affirmation et d'approbation, ce qu'il recherchait si désespérément.

10. LES ENFANTS-ADULTES D'ALCOOLIQUES PENSENT QU'ILS SONT DIFFÉRENTS DES AUTRES

Les enfants d'alcooliques se sentent différents des autres personnes de leur entourage parce que, jusqu'à un certain point, ils le sont réellement. Pourtant, Dieu sait à quel point ils sont nombreux!

Ils présument également que, dans n'importe quel groupe, tous les gens se sentent bien et qu'ils sont les seuls à se sentir mal à l'aise. Ce n'est pas particulier à eux. Bien entendu, il ne viendrait jamais à l'idée de quelqu'un de vérifier cette situation et de se rendre alors compte que chaque personne a sa propre façon de ne pas avoir l'air gauche. Est-ce aussi votre cas?

Il est assez intéressant de constater que vous vous sentez différent même dans un groupe d'enfants-adultes d'alcooliques. Cette sensation de différence, vous la portez en vous depuis votre enfance; et même lorsque les circonstances ne le justifient pas, la sensation demeure. Les autres enfants ont eu l'occasion d'être « enfants ». Pas vous.

Vous étiez très préoccupé par ce qui se passait à la maison. Vous ne pouviez jamais être complètement à l'aise en jouant avec d'autres enfants. Vous ne pouviez jamais être totalement présent. Vos inquiétudes au sujet des problèmes à la maison brouillaient tout dans votre vie.

Ce qui vous est arrivé est aussi arrivé à tous les autres membres de votre famille. Vous êtes devenu un être isolé. En conséquence, la vie sociale ou même le fait de faire partie d'un groupe est devenu de plus en plus difficile. Vous n'avez tout simplement pas développé les aptitudes sociales nécessaires vous permettant de vous sentir bien ou de faire partie d'un groupe.

Vous avez tenté certaines choses. Dana a essayé les cadeaux. « J'avais une collection incroyable de poupées Barbie et je les donnais en espérant me faire des amies. Habituellement, elles me trouvaient un peu stupide de me défaire de mes belles poupées et, conséquemment, elles avaient une moins bonne opinion de moi. »

David, de son côté, affirmait : « Je prêtais mes livres. C'était ce que j'avais de plus précieux. »

Un autre enfant d'alcoolique enchaînait : « J'ai tendance à donner aux gens ce dont ils ont précisément besoin — comme pour être le premier à leur mettre le grappin dessus pour me faire aimer. Quand j'étais enfant, je voyais comment mon père manipulait les gens de cette façon et je me suis rendu compte que cela fonctionnait très bien pour lui. J'ai donc pensé qu'il en serait de même pour moi. »

Concernant le choix de quelqu'un à qui s'identifier, Dana ajoutait : « Je m'entourais des gens ayant cette image irréaliste de personnes intelligentes, débrouillardes, aimantes, du genre scout. Je tentais de m'entourer de gens doux, gentils, plaisants, etc. Je n'ai jamais cherché des gens qui auraient pu me convenir, mais plutôt qui semblaient parfaits. Je n'ai jamais tenté de m'entourer de brutes ou de tyrans, et de les utiliser comme modèle. J'analysais la situation et me disais que ce n'était pas une façon d'être, sachant que les gens que je choisissais ne me convenaient pas. »

David était d'accord. « Lorsque j'étais enfant, moi aussi, je m'entourais de modèles inappropriés, mais j'ai passé à l'autre extrême. Tous les gens avec qui je me tenais étaient pires que moi. Je fréquentais tous les ados alcooliques, les gars qui buvaient du sirop pour le rhume à base de codéine, les femmes qui ne pouvaient avoir de liaisons sexuelles avec des hommes. Comme adolescent, j'étais très frustré. Je me retrouvais toujours avec des filles grassettes sans jamais oser inviter une belle femme. J'ai encore très peu d'amis. »

Il est difficile pour les enfants d'alcooliques de croire qu'ils peuvent être acceptés pour ce qu'ils sont et de comprendre que l'acceptation n'est pas quelque chose que l'on doit gagner.

La sensation d'être différent et d'être quelque peu isolé fait partie de votre caractère.

11. LES ENFANTS-ADULTES D'ALCOOLIQUES SONT DÉMESURÉMENT RESPONSABLES OU TRÈS IRRES-PONSABLES

Vous acceptez tout ou vous rejetez tout. Il n'y a pas de position intermédiaire. Vous avez tenté de plaire à vos parents en en faisant de plus en plus, ou vous êtes arrivé au point où vous avez compris que d'une façon ou d'une autre ce n'était pas important, vous avez donc abandonné. De plus, vous n'avez pas vu une famille où les membres collaboraient entre eux. Vous n'avez pas eu une famille qui décidait le dimanche : « Allons travailler dans le jardin. Je vais prendre cette section, prends l'autre, ensuite nous nous rassemblerons. »

Sans la sensation de faire partie d'un projet, de coopérer avec d'autres gens et de former une équipe, vous faites tout ou vous abandonnez tout. De plus, vous n'avez pas une idée précise de vos propres limites. Dire non est extrêmement difficile pour vous. Vous en faites donc de plus en plus. Vous le faites, non parce que vous avez un sentiment exagéré de vous-même, mais plutôt (1) parce que vous êtes dépourvu d'une vision réaliste de vos capacités; ou (2) parce que, si vous dites « non », vous avez peur qu'on vous trouve incompétent. La qualité du travail que vous accomplissez ne semble pas influencer l'image que vous vous êtes faite de vous-même. Vous acceptez donc plus de tâches jusqu'à ce que vous soyez complètement épuisé.

La peur constante d'être découvert brûle énormément votre énergie. Vous gaspillez ainsi des forces que vous pourriez utiliser à faire un meilleur travail. Non pas en termes de la quantité que votre employeur s'attend de vous, parce que vous lui en donnez probablement plus qu'il en demande, mais en termes d'efficacité.

Dana m'a fait part de ses sentiments en ce qui a trait à son travail :

> *On ne m'a jamais rien dit. Jamais on ne s'est plaint de mon travail. Au contraire, on m'a toujours félicitée. Ils ont toujours été très bons pour moi. Ils ont été compréhensifs lorsque j'ai été malade. Pourtant, je m'attends toujours à recevoir mon avis de congédiement. Et le plus bizarre, c'est que je sais que je fais du bon travail, mais je manque tellement de sécurité que cette lacune a plus d'importance que tout ce que je fais de bien.*

Elle se comporte ainsi à cause de son manque de sécurité.

> *Je me rends folle au sujet de l'organisation, de la planification de mon temps et de mon énergie pour des détails si minimes que la tension que je me crée est incroyable. Je me suis rendue au bureau dans un tel état aujourd'hui que, lorsque l'on m'a demandé : « Je voudrais que vous... », je me suis mise à pleurer. Je semble avoir ce sens des responsabilités qui me force à tout prendre, que ce soit à moi de le faire ou non. Je veux être capable de le faire et je pense que je devrais être capable de le faire.*

Finalement, elle en est venue à ceci :

> *Je n'irai pas au travail demain. Il n'y a pas une satanée raison qui me forcera à aller au bureau demain. Je ne crois pas avoir assez de temps d'accumulé et on déduira probablement les heures de mon salaire, mais*

je ne peux tout simplement pas retourner à ce bureau.
Du moins, pas cette semaine. Je ne peux pas entrer et
regarder tous ces gens, et me remettre au travail. Je
ne peux pas travailler, je ne peux rien faire, je suis com-
plètement bloquée. C'est vachement frustrant. J'avais
beaucoup de travail à faire aujourd'hui et j'avais la
nausée. Je suis rentrée à la maison et j'étais hystérique.
Je marchais d'un bout à l'autre de la pièce. J'ai tenté
d'appeler tout le monde, mais personne n'était à la
maison. Le monde entier était absent. Je regrette, c'en
est rendu au point où je ne pourrai même plus m'occu-
per de mes affaires.

En parlant à un groupe d'enfants-adultes d'alcooliques, j'ai laissé tomber, de façon plus ou moins sarcastique :
« Vous préparez l'horaire de vos journées de telle
façon que vous n'avez même plus le temps d'aller aux
toilettes. » Sur ce, un jeune homme m'a répondu : « Ce n'est
pas vrai. Nous trouvons le temps d'aller aux toilettes, mais
nous apportons un livre. »

12. Les enfants-adultes d'alcooliques sont extrêmement loyaux, même lorsqu'une telle manifestation de loyauté n'est pas méritée

Un foyer alcoolique semble être un endroit très loyal.
Les membres de la famille se tiennent ensemble, bien
longtemps après que la raison eut dicté qu'il serait préférable qu'ils se séparent. Cette espèce de « loyauté » résulte
davantage de la crainte et du manque de sécurité que de
toute autre chose; néanmoins, le comportement qui en résulte en est un où nul ne se distance des autres parce que

la situation est devenue tendue. Ce sentiment permet à l'enfant-adulte de demeurer dans un milieu qui devrait être dissout.

Puisque se faire des amis ou développer une relation est si difficile et si compliqué, une fois que l'effort a été fait, la permanence s'installe. Si quelqu'un se soucie assez de votre bien-être pour être votre ami, votre amant ou votre conjoint, vous avez alors l'obligation de demeurer avec cette personne pour toujours. Si vous leur avez laissé savoir qui vous êtes, ou s'ils l'ont découvert par eux-mêmes et qu'ils ne vous ont pas rejeté, c'est suffisant pour que vous mainteniez cette relation. Le fait qu'ils peuvent vous traiter de façon désagréable n'a aucune importance et vous l'acceptez. D'une manière ou d'une autre, peu importe ce qu'ils font ou disent, vous trouverez toujours une façon d'excuser leur comportement et de vous attribuer toutes les fautes. Vous renforcez ainsi votre image personnelle négative, ce qui vous justifie de prolonger cette relation. Votre loyauté est sans bornes.

Il existe beaucoup de sécurité dans une relation établie. C'est un fait connu, et le connu est toujours plus sécurisant que l'inconnu. Les changements vous étant excessivement difficiles, vous préférez demeurer avec ce qui est en place.

En fait, vous connaissez très peu de choses sur le contenu d'une bonne relation. Vous conservez donc ce que vous avez, sans savoir qu'il pourrait y avoir quelque chose de mieux ou de différent. Vous continuez tout simplement à vivre dans ce monde confus.

Sur ce point, Dana ajoutait :

C'était un peu comme si, une fois que j'avais pris un engagement, j'allais m'y accrocher. C'était parce que j'avais tellement peur d'être moi-même. Je ne savais pas qu'il y avait d'autres types de mariage — différents de ce que mes parents avaient connu ou vécu. Je voulais que mon mariage réussisse de sorte que nous puissions être capables d'acheter une maison, d'avoir des bébés, de tout faire bien, d'être heureux, satisfaits et de s'aimer. Ça n'a pas fonctionné de cette façon, mais je ne pouvais pas lâcher prise.

13. Les enfants-adultes d'alcooliques agissent impulsivement. Ils ont tendance à s'emprisonner dans une voie sans prendre sérieusement en considération les comportements alternatifs ou les conséquences possibles. Cette impulsivité mène à la confusion, au dégoût de soi et à la perte de contrôle sur leur environnement social. Conséquemment, ils consacrent une quantité excessive d'énergie à réparer les dégâts

On trouve dans un tel comportement les caractéristiques d'un « alcoolique ». Il se peut que ce comportement se soit « modelé » sans conscience apparente. Par exemple, l'alcoolique a une idée : « Je vais m'arrêter en chemin et prendre un verre avant de rentrer. » Idée simple — et toute pensée pouvant entrer en conflit avec la réalisation de son idée est rejetée rationnellement. « J'avais promis d'être à la maison à temps », ou « Un seul verre ne me retardera pas », ou « J'ai promis que j'arrêterais de boire — un seul verre n'est pas boire. »

Il est vrai qu'un seul verre ne le retardera pas et que ce n'est pas « boire » selon sa façon de voir les choses, s'il ne s'arrête que pour un verre. Donc, il s'arrête pour « le » verre.

À partir du moment où l'idée était entrée dans la tête de l'alcoolique de prendre un verre, il devait se rendre au bout. Aucune autre option n'était disponible. L'idée ne comprenait que le premier verre.

Le reste du scénario est clair. Après le premier verre, la compulsion prend le dessus et l'alcoolique a perdu le contrôle. Il rationalise pendant un temps, mais finit par oublier tout ce qu'il avait prévu au début.

L'idée qui déclenche son comportement impulsif est dépourvue de bornes. C'est « ici et maintenant ». Il n'accorde aucune considération sérieuse à ce qui s'est produit la dernière fois, pas plus qu'il n'en accorde aux conséquences à venir cette fois-ci.

Puisque l'idée se limite au moment « Je vais prendre un verre », des pensées comme « Je vais m'enivrer et être en retard et cela va créer des problèmes » sont sans importance. Le fait qu'il y aura perte de contrôle et que le comportement deviendra démesuré est simplement rejeté. « Je peux contrôler ce que je bois » est un énoncé qu'on entend souvent, et la preuve du contraire est rejetée de la même façon, une fois que la compulsion prend le contrôle et que le comportement ingouvernable s'installe.

L'impulsivité est une qualité très enfantine. Ordinairement, les enfants sont impulsifs. Mais lorsque vous étiez enfant, vous étiez plus parent qu'enfant, donc votre comportement impulsif d'aujourd'hui provient d'une chose qui vous a manqué au cours de votre enfance. Lorsqu'un manque se produit à une certaine étape de votre vie, bien souvent vous voudrez reprendre le temps perdu plus tard. Lorsqu'un enfant a un parent qui fonctionne comme un parent et que l'enfant agit de façon impulsive, on lui dit : « Tu ne peux faire ça. Parce que tu l'as fait, il y a une conséquence. »

Comme enfant, il vous était impossible de prévoir le dénouement d'un comportement donné, donc vous ne savez pas comment le faire maintenant. De plus, il y avait une absence totale de logique à la maison. De ce fait, vous n'avez jamais évolué avec l'idée que « Lorsque je me comportais de façon impulsive par le passé, ceci se produisait et cela se produisait, et cette personne réagissait de cette façon. » Parfois les choses se passaient bien; d'autres fois, ce n'était pas le cas. Essentiellement, ça ne pouvait pas être réellement important. Personne ne vous disait non plus : « Voici les conséquences possibles de ce comportement. Parlons des autres attitudes que tu aurais pu avoir. »

La situation se complique davantage par une sensation terrible d'urgence. Si vous ne faites pas quelque chose immédiatement, vous n'aurez pas une deuxième chance. Et vous avez pris l'habitude d'être sur le bord d'un précipice, vivant d'une situation alarmante à une autre. Lorsque les choses se déroulent sans problème, vous êtes alors plus inquiet que lorsqu'il y a un problème. Il n'est donc pas surprenant que vous en veniez même à créer une crise.

Ce comportement impulsif n'est pas volontaire ou prévu. C'est une force sur laquelle vous n'avez aucun contrôle. C'est la caractéristique qui vous dérange le plus, celle qui vous fait le plus peur et que vous voulez vraiment changer.

Rose l'exprime de cette façon :

Ce n'est pas que je manque de sentiments envers les autres, car quand je constate les effets de mon comportement, lorsque cela se produit, je ne peux croire ce que j'ai fait. Je me soucie de cette personne, comment ai-je pu? Je suis complètement bouleversée de constater que j'en suis la cause. Je me soucie des répercussions de mes actes, mais quelque part entre la conséquence et faire quelque chose pour me corriger, j'ai une vision un peu limitée.

Dana :

Je n'ai jamais l'intention véritable de blesser ou de contrarier quelqu'un; c'est juste que le chemin que j'utilise me conduit directement à ce résultat.

Paul :

C'est un peu comme une terre qu'on laboure. Je veux dire, ce n'est pas quelque chose que l'on fait avec décontraction. Moi, je plonge tout droit.

Dana :

Je marche vers l'avant avec un mur de chaque côté de moi, et je continue de marcher.

Sarah :

Ma capacité de penser, d'entendre des mots dans ma tête, disparaît. Je suis incapable de trouver les mots qui traduisent dans une phrase ce que je ressens. Tout devient une masse d'énergie. Je deviens un ouragan.

Paul :

Mon jugement est mauvais et ça me dérange.

Sarah :

Je ne vois que l'instant présent.

Dana :

Parfois, ça me semble la seule direction à prendre. Ce n'est pas vraiment une direction, mais la seule action possible. Il y a eu des fois où je savais que c'était la mauvaise chose à faire et j'en ai payé le prix pendant les quatre ou cinq mois suivants. Je savais avant de le faire que c'était mauvais.

Sarah :

Une fois que l'émotion me domine, il faut que je poursuive jusqu'au bout. C'est une force qui me propulse et contre laquelle je suis impuissante. Je souhaiterais qu'une grue vienne m'en extirper.

Dana :

Dès que je fais le premier pas, c'est tout ce dont j'ai besoin. C'est comme dévaler une pente. On fait le premier pas et, tout à coup, on ne peut plus s'empêcher de descendre.

Sarah :

C'est comme une obligation d'aller dans le sens de la décision que je prends, quelle qu'elle soit.

Marc :

Chez moi, ça manque de flexibilité. Ce n'est pas que j'ai l'intention de blesser quelqu'un, mais la personne en souffre généralement. C'est presque infaillible.

Même si je reconnais ce fait, je le répète. Quel que soit mon horaire, je ne peux rien changer et je semble être dominé par un élan de vitesse et d'énergie dans une espèce de mouvement continu. C'est comme si je portais des œillères. On peut m'avoir fait part de faits qui auraient porté une autre personne à ralentir, ou m'avoir dit de vérifier des choses, mais quand je suis dans cet état, je contrôle rarement. Et si je le fais, je n'y porte pas attention.

Sarah :

Je deviens dépendante, et je semble perdre la possibilité de me projeter dans le futur afin de savoir si c'est vraiment ce que je veux faire. À ce moment, je me sens un peu négative avec les autres, je deviens incapable de toucher, de sentir, de goûter ce qui est bon, même si je sais que ces choses existent. Je ne peux les ressentir, donc elles n'ont aucune valeur pour moi.

Dana :

L'émotion du moment est généralement la seule qui compte. Il est donc difficile pour moi de reconnaître qu'il m'est possible de ressentir quelque chose d'autre que ce que je ressens à l'instant. Ou d'admettre que demain j'analyserai cette situation et aurai une sensation différente.

Devant un tel comportement, plus souvent qu'autrement, la lumière au bout du tunnel est en réalité le fanal d'une locomotive. Vous avez été incapable de voir la réaction ou l'implication de vos actions. De ce fait, vous vous créez un bon nombre de situations déplaisantes.

Une de mes clientes a décidé un après-midi d'acheter un cheval. Elle l'a amené à la maison et l'a installé dans le garage. Elle a eu beaucoup de difficulté à comprendre le désarroi de son mari, puisqu'elle avait cru qu'il s'agissait là d'une bonne idée. Dès qu'elle a eu l'idée, c'en était fait, elle devait aller jusqu'au bout. Elle ne pouvait plus s'arrêter.

Vous découvrez que vous pourriez possiblement quitter votre emploi sans vous rendre compte que vous n'avez aucun autre moyen de gagner votre vie. Peut-être vous marierez-vous sans vraiment connaître l'autre personne. Acheter un cheval est assez inhabituel et je n'ai vu ça qu'une fois, mais les deux autres situations se reproduisent très, très souvent. Vous finissez par vous en faire beaucoup au sujet de votre comportement, mais avant que vous puissiez en prendre connaissance et changer certaines attitudes, vous devez consacrer beaucoup de temps et d'énergie à vous dégager de ce fouillis. C'est donc un travail à l'encontre du but recherché à plusieurs niveaux.

 Une partie des difficultés vient du fait que les enfants-adultes d'alcooliques ont tendance à chercher une gratification immédiate plutôt qu'à moyen terme.

Le mot que j'utilise le plus souvent avec mes clients enfants-adultes d'alcooliques est « patience ». Peu importe ce qui se manifeste, ou ce que vous ressentez le besoin d'accomplir, qu'il s'agisse de vos émotions ou de votre comportement, vous voulez l'accomplir hier. Vous éprouvez certaines difficultés à être patient avec les autres. La personne avec laquelle vous manquez le plus de patience, cependant, c'est vous-même. Vous voulez tout immédiatement.

Cette situation vous crée beaucoup de problèmes parce que votre manque de patience s'immisce dans toutes les autres réalités difficiles de votre vie. Votre manque de patience s'introduit surtout dans votre impulsivité et votre jugement envers vous-même.

Il n'est pas difficile de comprendre pourquoi vous voulez tout immédiatement. La procrastination vous crée des ennuis parce qu'au moment de votre croissance, si vous n'obteniez pas immédiatement ce que vous vouliez, c'était la fin. Si vous disiez : « Je veux cela maintenant », et que vos parents répondaient : « Tu ne peux le faire en ce moment, mais tu le pourras à la fin de la semaine », ou « On en parlera plus tard », vous saviez que c'était fini. Vous saviez de plus que toute promesse remise à plus tard n'était jamais respectée. C'était là une situation courante dans votre vie.

La réalité de votre vie était que, si vous ne le faisiez pas immédiatement, ça ne se produirait jamais. Il est donc très difficile pour vous de prévoir les événements futurs. Affirmer : « Voici ce que je ferai dans deux ans et je le ferai de cette manière » est pour vous un combat. Vous voulez ce que vous voulez au moment où vous le voulez puisqu'une petite partie de vous sait, même si ce n'est plus vrai, que si vous ne l'obtenez pas maintenant, et que vous ne le retenez pas avec force, cela ne se produira jamais.

La sensation de « Voici ma dernière chance » est ancrée en vous en tout temps. Vous devenez même impatient avec vous-même lorsque vous tentez de régler votre problème de patience et que vous ne devenez pas immédiatement patient. La patience représente donc une qualité que vous devez travailler avec acharnement afin de l'acquérir.

◆ Chapitre 3 ◆

Briser le cycle

1. Les enfants-adultes d'alcooliques se posent des questions sur ce qui est normal

Il est important pour vous de reconnaître que *rien n'est normal*. C'est le fondement des points qui seront présentés. C'est un élément important puisque ce qui est fondé sur de fausses prémisses peut se développer logiquement mais ne fonctionnera jamais. Tout comme une maison de cartes dont la base n'est pas solide, un seul coup de vent suffira à faire chuter toute la structure.

Normal est un mythe comme le père Noël et bon nombre d'émissions de télévision. Ce n'est pas réaliste de parler en termes de *normal*, et on vous a dupé en tentant de vous faire croire que cela existait. D'autres concepts comme *fonctionnels* ou *dysfonctionnels* sont plus utiles. Qu'est-ce qui fonctionne bien pour vous? Quelles sont les choses qui fonctionnent dans votre meilleur intérêt? Et dans l'intérêt de votre famille? Cette approche est réaliste et varie d'une personne à l'autre, d'une famille à l'autre.

La tâche alors n'est pas de découvrir la signification du mot *normal,* mais ce qui est le plus confortable pour vous et pour votre entourage. Vous avez mordu dans le mythe de la normalité et, ce faisant, vous avez développé des fantaisies au niveau de votre Moi idéal, de l'idéal des autres et de l'idéal de votre famille, ce qui a rendu votre vie excessivement difficile. Le Moi idéal en qui vous croyez est l'enfant parfait, la femme parfaite, l'ami parfait, le parent parfait. Puisque la fantaisie ne peut exister, vous consacrez beaucoup de temps à vous juger parce que la vie ne fonctionne pas de la façon dont vous l'avez décidé.

En découvrant ce qui vous apporte une sensation de bien-être, ce qui ne vous apporte rien et pourquoi, vous ressentez aussi le besoin d'analyser la façon dont fonctionne votre famille. Il est maintenant temps pour votre famille d'apprendre comment résoudre les problèmes et conflits, et il existe bien des façons d'y arriver.

La première est plutôt simple. Trouvez un livre sur l'évolution de l'enfant afin d'apprendre ce que l'on attend de lui à différents stades. Puisque vous ne vous êtes pas développé comme la plupart des enfants, vous êtes peut-être démesurément inquiet du comportement de vos enfants. Un bon livre vous fournira l'information qui vous manque. Ce n'est pas une tentative de mouler vos enfants en fonction d'étapes successives, mais plutôt de découvrir s'ils sont prévisibles ou non. Cette nouvelle connaissance vous apportera un sentiment de sécurité.

Vous pouvez aussi vous inscrire à un cours d'efficacité parentale afin de connaître les techniques d'une relation confortable avec les enfants. Souvenez-vous que nul ne s'attend à ce que vous possédiez toutes les réponses. Vous faites partie d'un grand nombre de gens qui se soucient du bien-être de leurs enfants et cherchent à développer de meilleures façons de communiquer avec eux.

Barry et Aviva Mascari, qui travaillent avec des familles dépendantes à des produits chimiques, ont élaboré une adaptation de la réunion de famille adleriane (selon Alfred Adler). Sur une base hebdomadaire, les membres de la famille se réunissent et parlent de points qui leur sont importants, tels que le montant des allocations, l'endroit des vacances annuelles de la famille, la responsabilité du lavage et des ordures ménagères. Cela ne signifie aucunement que vos enfants doivent commander les allées et venues de la famille. Cela veut tout simplement dire que chaque membre de la famille participe dans une prise de décisions, de sorte qu'il n'y a jamais de grands secrets. Toute personne est importante et aucune d'entre elles n'est mise à l'écart.

Une bonne partie de votre expérience au cours de votre croissance a été justement d'être mis à l'écart. Vous avez donc eu la sensation que la vie serait meilleure si vous ne faisiez pas partie du portrait. Vous aviez l'impression que ce que vous pensiez et disiez était sans importance. La première étape renverse cette situation, la réunion familiale inculquera à vos enfants le principe que la contribution est valable. Ainsi, ils n'auront pas à souffrir de la sensation de rejet que vous avez connue.

Une autre façon qui pourrait vous aider à découvrir ce qui fonctionne bien serait de trouver une personne à qui vous pouvez parler d'à peu près tout. Ayez au moins une personne dans votre vie à qui vous pouvez parler sans avoir peur de passer pour stupide, et à qui vous pouvez admettre votre ignorance sur certains faits et vous sentir libre de poser n'importe quelle question sans savoir si c'est la bonne. Une telle personne constitue un trésor. Je recommande que cette personne ne soit pas un enfant-adulte d'un alcoolique parce qu'il est possible qu'elle soit face aux mêmes conflits que vous.

Il est important de pouvoir admettre que vous ne savez pas. Admettre dans un groupe que vous ne connaissez pas telle chose, ou telle autre, provoque toujours la réponse : « Je suis très heureux que vous ayez dit ça. Je ne le savais pas non plus. » Mais il y a toujours, dans chaque groupe, une personne qui dira : « Tu ne sais pas *ça*? » Vous apprendrez à rire devant une telle remarque ou à l'ignorer complètement. Plutôt, utilisez l'appui de ceux qui *veulent* apprendre et explorer, et ne vous inquiétez pas si vous n'avez pas toujours les bonnes réponses.

Je vous encourage à faire confiance à votre instinct qui, la plupart du temps, vous dicte le comportement approprié. Vous avez peut-être tendance à vous retirer trop rapidement et à décider que votre instinct n'a aucune valeur. En lui faisant confiance, vous apprendrez bientôt qu'il constitue un outil valable vous permettant de développer le type de relations saines que vous recherchez.

Une de mes clientes m'a confié que plusieurs personnes avaient consacré temps et efforts afin de lui préparer une fête surprise pour son 40e anniversaire de naissance. Sa fille de 20 ans était vraiment détestable, de dire ma cliente : « Vous savez, j'avais le goût de la gifler devant tous les gens, mais je me suis retenue. » « Pourquoi? lui ai-je demandé. Je pense que c'est exactement ce qu'elle méritait. » Ma cliente me répondit : « Eh bien, je ne la manquerai pas la prochaine fois. Mais avant je voulais vérifier avec vous. »

Cet incident indique comment traiter une situation difficile. Lorsque quelque chose nous déplaît, on doit l'identifier, en parler et ensuite prendre la décision qui s'impose. Les questions de situations peuvent souvent être résolues de façon simple et facile. Mais celles qui se rattachent au passé sont beaucoup plus compliquées.

Sandra a beaucoup de difficulté à abandonner l'idée qu'elle doit être un parent parfait et que ses enfants la mettent constamment à l'épreuve. Son plus jeune enfant était devenu camelot. Lorsque la femme qui lui a donné le circuit de livraison, et qui fait de l'excellente cuisine italienne, lui a demandé : « Est-ce que je peux te récompenser pour tes services? » il lui répondit : « Pourquoi pas un bon repas chaud? »

Sandra nourrit bien ses enfants, pourtant, elle s'est sentie bouleversée et affolée parce qu'elle craignait que sa voisine pense qu'elle nourrissait mal ses enfants. Elle n'avait aucun sens de l'humour et ne savait comment traiter cet incident. Une autre fois, son fils accepta un petit déjeuner de crêpes dans une autre maison, en plus d'avoir mangé à la maison. Sandra dut donc étudier la raison de son malaise. C'était relié à son perfectionnisme et à la façon dont elle voulait être vue dans le voisinage.

Par ailleurs, elle trouvait que son fils profitait des voisins. Elle décida d'appeler la voisine qui avait confié le travail de camelot à son fils. La femme trouva l'incident plutôt drôle et lui dit : « Vous avez vraiment un charmant bonhomme. J'adore voir les gens manger. Leur préparer des repas représente l'une des plus grandes joies de ma vie. Je sais fort bien qu'il vient chez moi directement de chez vous, mais si ça ne vous dérange pas trop, ça me fait plaisir de l'accueillir ainsi. »

Sandra se sentit plus à l'aise, et les deux femmes continuèrent à parler. Elle admit que sa plus grande crainte était que la voisine pense qu'elle nourrissait mal ses enfants. Sa voisine s'est mise à rire parce que, au moment de cette conversation, elle était enrhumée et fiévreuse et se sentait coupable de ne pas être à ses cours, de ne pas être l'élève parfaite, tandis que Sandra ne croyait pas être la mère parfaite. Les deux femmes se sentaient coupables. En parlant de leurs problèmes respectifs, elles se sentirent plus à l'aise parce que la réalité devenait plus évidente. C'était important puisque la perfection n'est pas réaliste et l'effort de devenir parfait crée beaucoup d'anxiété. On peut viser certains objectifs, mais l'objectif de perfection n'offre aucune récompense bénéfique.

Une personne fonctionnelle sait comment traiter un conflit de façon responsable. Cela comprend la confrontation, le traitement et la solution du problème. Au moment où vous grandissiez, vous ne saviez pas comment résoudre vos problèmes — vous les contourniez, sans les résoudre. Rendu à l'âge adulte, vous vous comportez encore de la même façon.

Essayez ce petit exercice : imaginez que vous marchez dans un corridor et qu'à mi-chemin quelqu'un sort d'une porte. Vous êtes très fâché contre cette personne, ou cette personne est fâchée contre vous.

Que faites-vous? Devez-vous maintenir votre position et confronter la personne en disant : « Je suis heureuse de vous voir, nous devrions régler certaines choses. » Ou tournez-vous les talons? Lancez-vous quelques remarques frivoles qui n'ont rien à faire avec les points que vous et l'autre personne devez discuter? Continuez-vous à marcher en prétendant qu'il n'y a personne?

Que faites-vous au moment où une discorde se manifeste? Comment vous conduisez-vous? Quelle est votre première réaction? Pour résoudre un différend, vous devez comprendre ce que vous devez faire et ce qui se passe au fond de vous-même. C'est l'unique point de départ. Une fois que vous comprenez cette démarche, vous êtes prêt à prendre la décision concernant le problème et à faire face à la réalité. La fuite devant une responsabilité constitue le plus grand problème dans un foyer alcoolique. C'est le moment tout désigné de voir la réalité et de se rendre compte qu'il n'y a pas de normalité comme telle. Il n'y a que la réalité que vous déterminez pour vous-même avec l'aide et les données provenant de gens qui sont intéressés, disposés et anxieux de participer à votre développement, tout en accroissant le leur.

2. LES ENFANTS-ADULTES D'ALCOOLIQUES ÉPROUVENT DES DIFFICULTÉS À POURSUIVRE UN PROJET DU DÉBUT À LA FIN

Le moment est venu pour vous de découvrir si vous êtes l'adepte de la procrastination que vous croyez être, ou s'il vous manque tout simplement l'information vous indiquant comment compléter une tâche. Comment fait-on progresser un projet du début à la fin? Comment cela se produit-il? C'est possible, ça se fait et ça se produit. Il faut cependant une démarche systématique. Les gens qui réalisent des projets ne le font pas avec désinvolture. Ils ont ce qu'on appelle un « plan d'action ». Il se peut qu'ils aient développé ce système au point qu'il semble automatique, mais ce n'est pas le cas. Il existe un processus fondamental.

D'abord, il faut vraiment connaître le processus de sorte qu'on puisse le suivre et qu'il n'y ait pas d'accrochage en route, et qu'on commence à se juger. La première chose à faire au moment où l'on conçoit un projet, c'est d'analyser de près l'idée. Est-ce faisable? Est-ce possible de l'accomplir et que veut-on accomplir?

Il faut concevoir un plan d'action, point par point, afin de réussir. Il faut prévoir un horaire bien défini avec des échéances. Il faut déterminer le temps requis pour chaque segment du projet. Il n'est pas nécessaire de savoir exactement combien de temps le projet global nécessitera, mais il faut tout de même avoir une bonne conception des éléments et déterminer le temps requis pour chacun.

Une fois la décision prise, l'étape suivante est d'établir les échéances. Est-ce réaliste d'accomplir ce projet dans ces limites de temps, si tous les éléments requièrent un nombre élevé d'heures?

En élaborant la méthode permettant de respecter l'échéancier, il faut regarder de près votre propre façon de travailler. La meilleure façon de le faire est de vous fier à votre façon d'apprendre. Lorsque vous étiez à l'école, qu'est-ce que vous appreniez le plus facilement? Étiez-vous la personne qui réussissait mieux en accomplissant une partie de vos travaux chaque jour, ou celle qui se bourrait le crâne la veille? Vous bourriez-vous le crâne parce que c'était la meilleure façon d'apprendre ou parce qu'il n'y avait pas d'autre alternative? Quelle méthode vous apporte la plus grande satisfaction en tenant compte de votre propre manière d'apprendre?

Si ces étapes ne s'imbriquent pas et si l'objectif n'est pas réalisable, il vous faut repenser l'idée à nouveau. Peut-être que le projet n'est pas réaliste et, le cas échéant, il nécessite une révision totale. Vous vous êtes peut-être chargé d'une tâche au-dessus de vos possibilités pour le moment. Ou peut-être que le projet nécessite une approche différente, une étude en profondeur et plus de temps. Il se peut que le concept soit excellent, mais que vous n'ayez pas le temps requis. La création demande à chacune des étapes une nouvelle analyse et une nouvelle évaluation. Prévoyez certains changements en cours de route qui feront toute la différence. Il n'est pas nécessaire de rester emprisonné parce que vous avez mal planifié le dénouement.

Voici un exemple d'un processus qui devrait illustrer clairement ce que j'avance. À 48 ans, Paul est un excellent homme d'affaires. Il est souvent placé dans des situations où la pression est très grande, comme des échéances de 24 heures pour préparer des rapports importants. Il se balance entre un conflit et un autre, et se débrouille à merveille. En tant qu'enfant-adulte d'un alcoolique, il s'y connaît dans le domaine des crises — pour lui, c'est devenu un avantage.

Paul avait décidé d'obtenir un doctorat. Après avoir été accepté dans un programme, il est venu me voir, affolé. « Je ne peux pas », me dit-il. « Il m'est impossible de rédiger ce travail. » J'ai souri. Il était terrassé de constater qu'un tel projet prendrait un an à compléter. Puisqu'il n'avait aucun point de référence pour ce genre de travail, il avait peur. Mais il était assez intelligent pour reconnaître ses faiblesses et solliciter de l'aide afin de surmonter son problème.

La première décision que nous avons prise : limiter le nombre de personnes à qui il en parlerait pour éviter de recevoir trop de commentaires, trop d'approches différentes. Cette situation, en plus de sa difficulté à développer son approche personnelle, augmentait son anxiété. Je lui ai tout simplement dit : « Si j'accepte de t'aider en ce moment, je suis la seule personne à accroître ton anxiété. »

Il voulait aussi que la rédaction finale de son sujet de recherche fasse autorité. Il lui fallait abandonner ses idées de grandeur et décider de limiter sa recherche à un sujet plus facile à traiter. Il lui fallait aussi former un comité de gens intéressés à voir son projet couronné de succès et dont la contribution serait pertinente. Dès qu'il eut formé ce groupe, ses craintes s'envolèrent.

L'étape suivante fut de déterminer le temps requis pour rédiger ses travaux. Il était nerveux comme s'il eut été obligé de les compléter hier. Le document allait nécessiter un an de travail. Il devait prendre le temps de trouver, d'assembler et d'évaluer la documentation. Il devait aussi interpréter les résultats et préparer sa rédaction pour qu'elle soit acceptée par les membres de son comité. Ça ne pouvait se faire hier, ça ne pouvait se faire demain. Un an était la seule évaluation réaliste du temps requis pour un tel projet.

Une fois cela compris, nous étions en mesure de regarder de plus près son style d'apprentissage. Comment apprenait-il le mieux? Pouvait-il accomplir ce travail de la même facon qu'il avait toujours procédé au cours de sa vie? Il devint évident qu'il ne le pouvait pas, en faisant tout à la dernière minute. De plus, il n'avait pas l'intention de prendre un mois ou deux de congé au travail pour se consacrer exclusivement à sa recherche. On a donc décidé qu'il y travaillerait deux heures par jour.

Nous devions aussi considérer ce qu'un tel horaire signifiait. Cela voulait-il dire qu'il devait écrire deux heures par jour? Ou s'asseoir à sa table de travail pendant deux heures chaque jour? Pouvait-il penser au cours de cette période? Nous en sommes venus à la conclusion qu'il devait faire quelque chose se rapportant au projet d'étude pendant ces deux heures. Le temps qu'il consacrait à penser se traduirait plus tard par du temps pour l'écriture. Il n'était pas nécessaire qu'il se transforme en bourreau de travail. Nous avons aussi déterminé que le meilleur endroit pour travailler était chez lui, dans un petit bureau aménagé à l'arrière de la maison, où il pouvait bénéficier d'un peu d'intimité. Les heures les plus productives de la journée étaient les deux premières du matin. Ainsi, il travaillerait avant que les autres membres de la famille se lèvent ou que le téléphone ne commence à sonner.

Ces décisions étaient élémentaires et simples. Mais elles faisaient toute la différence entre la réussite et l'échec — elles étaient le fruit d'une planification minutieuse.

Paul n'avait jamais vécu l'expérience de planifier quelque chose auparavant. C'était la première fois que quelqu'un se joignait à lui et lui disait : « Comment t'y prendras-tu pour accomplir ceci? Comment entends-tu le compléter? Quel est ton plan d'action? Combien de temps comptes-tu y mettre? Est-ce faisable? »

Après avoir travaillé à son projet de recherche pendant deux semaines, il admit qu'il ne pouvait travailler deux heures par jour, mais pouvait se concentrer pendant une heure. Cet horaire était plus réaliste pour lui, et il sentait qu'il pouvait accomplir le nécessaire en moins de temps. Bravo! Il avait développé un plan d'action, et il était en mesure de le réviser et de rendre le projet plus réalisable. Il avait dissipé les craintes qui le vidaient de son énergie et qui l'empêchaient d'évoluer. À partir de ce point, Paul eut moins de difficulté à suivre un projet du début jusqu'à la fin.

Les étapes énoncées précédemment s'appliquent à tout ce que l'on doit accomplir. Cette merveilleuse idée que vous avez peut ou ne peut pas être possible. Rien ne se produit par chance, mais plutôt par une planification bien approfondie. Au fur et à mesure que vous accumulez plus d'expérience en planification, vous commencez à réaliser vos idées automatiquement. Les difficultés que vous avez présentement peuvent ne pas être causées par la procrastination, mais simplement parce que vous n'étiez pas informé de ce qu'impliquait le processus.

Vos jeunes enfants n'ont pas à attendre de devenir adultes avant de pouvoir résoudre ce problème particulier. Si leurs enseignants vous ont dit que vos enfants n'ont pas exploité leur potentiel au maximum, qu'ils ne complètent jamais ce qu'ils ont commencé, vous pouvez leur dire : « Mon enfant doit apprendre comment le faire. Il ne finit peut-être pas ce qu'il met en marche non par manque d'intérêt, non par manque d'implication, mais plutôt parce qu'on doit lui apprendre à le faire. »

Prévoyez une rencontre avec l'enseignant ou l'enseignante, s'il accepte de collaborer, pour parler de la façon dont votre enfant pourra développer des habitudes d'étude lui assurant la possibilité de compléter un projet. Vos enfants ne réussissent peut-être pas selon leurs propres attentes à l'école parce qu'ils leur manquent l'expérience de voir une chose réalisée du début jusqu'à la fin. Ce n'est pas le temps de vous juger ou de vous accuser d'être un mauvais parent. Une telle attitude vous empêcherait d'aider votre enfant et de bâtir l'environnement nécessaire à son épanouissement. Vous pouvez développer et organiser une structure adéquate avec ou sans l'aide d'un enseignant.

On doit d'abord établir des lignes directrices. Il n'est pas nécessaire d'être dictatorial; on peut établir ces lignes avec les enfants de sorte qu'elles deviennent partie intégrante de la conception de leur vie. Ce n'est pas nécessaire qu'ils s'y plaisent. C'est le temps pour eux de commencer à faire des choses avec méthode. Par exemple, les travaux à la maison doivent être faits quotidiennement, en temps et lieu, selon une durée convenue. Voilà le point de départ.

Il est important de laisser savoir à vos enfants qu'ils ne sont pas stupides, sentiment auquel ils commencent à croire très tôt dans la vie.

Les difficultés résultent du manque d'expérience, mais cela peut changer. La famille peut former un partenariat où les membres apprennent à finir ce qu'ils entreprennent. Il s'agit là d'une entreprise à laquelle tous prennent part, pour avoir ainsi un meilleur contrôle de leur vie respective. Ce processus aura également comme effet d'améliorer vos relations avec vos enfants et de rompre le cycle au cours de la génération suivante.

3. Les enfants-adultes d'alcooliques mentent alors qu'il serait tout aussi facile de dire la vérité

Mentir est une mauvaise habitude bien difficile à corriger parce que, lorsque vous étiez enfant, il y avait une certaine récompense associée au mensonge. À l'âge adulte, vous découvrirez qu'il n'y a plus de récompense, mais l'habitude persiste. J'ai uniquement vu cette habitude cesser lorsque les sanctions étaient tellement grandes que la vie était devenue intenable. L'idéal est d'y mettre fin avant que cela ne se produise. Premièrement, on doit faire la différence entre le mensonge *mesuré* et le mensonge *automatique*. Il est possible qu'un mensonge mesuré apporte une petite récompense. Ce n'est pas à moi d'en juger; je vous offre un choix : mentir ou ne pas mentir. Le cycle que nous tentons de rompre est celui où vous mentez automatiquement et où vous n'avez plus aucun contrôle.

L'étape initiale visant à maîtriser toute mauvaise habitude, c'est de s'en rendre compte. Si vous avez toujours menti automatiquement, vous n'êtes pas nécessairement conscient de l'avoir fait.

Promettez-vous de ne pas mentir pendant une journée entière. Ensuite, voyez ce qui se produit. Il se peut que vous ne puissiez résister à la tentation. Tant mieux si vous le pouvez. Était-ce difficile ou facile? Si vous n'avez pas réussi, notez sur papier votre mensonge et ce qui se passait dans votre esprit au moment de mentir.

À la fin de la journée, évaluez ce qui s'est produit sans vous juger. Vous avez fait ce que vous avez fait. Vous avez accompli ce que vous avez pu. C'était facile ou c'était difficile. Vous avez été capable de résister au mensonge au cours d'une partie de la journée, mais incapable durant la journée entière. Vous étiez capable de le faire dans certaines situations, mais pas dans d'autres. Peut-être réussissiez-vous lorsque vous étiez détendu, mais incapable lorsque vous étiez stressé.

Relisez vos notes et pensez-y bien. Plutôt que de vous juger, apprenez à un peu mieux vous connaître en devenant de plus en plus conscient de votre comportement.

Commencez le début de la journée suivante de la même façon en répétant le processus. Faites cela pendant trois ou quatre jours. À la fin, évaluez votre progrès. Si vous mentez encore de façon automatique, il serait bon de vous engager à corriger toute affirmation fausse, la prochaine fois que vous vous prendrez à mentir.

Voilà un engagement puissant. Vous vous dites : « Même si l'habitude est forte, il est important que je la change. » Si vous ne pouvez le faire, au moins soyez réaliste en acceptant le fait que vous n'êtes pas prêt à changer, quelle que soit la raison.

Si le fait d'être plus conscient et si l'acceptation d'un engagement de votre part ne mènent pas à la disparition du mensonge automatique, il s'agit là probablement de plus qu'une mauvaise habitude. Il se peut que ce soit un élément à travailler à un niveau plus profond. Il se peut qu'il s'agisse d'une tactique de survie, qui s'est perdue dans le temps. En raison de votre passé et des craintes enfantines que vous avez développées, vous avez peut-être besoin d'aide afin de modifier votre comportement.

Certaines pratiques se changent simplement et facilement. D'autres nécessitent beaucoup de travail et d'assistance avant d'y arriver. Cela ne veut pas dire qu'il se passe quelque chose d'anormal chez vous. Il est peut-être simplement plus difficile de réussir que vous l'aviez pensé. Lorsque je travaille avec quelqu'un qui a un problème avec le mensonge, je dis simplement : « Je pense que vous croyez à ce que vous venez de dire. » Nous pouvons donc l'analyser et voir ce que cela veut dire et ainsi découvrir la vérité.

Bon nombre d'enfants-adultes d'alcooliques se rendent à l'autre extrême. Puisqu'ils sont entourés de tellement de mensonges, ils décident de ne jamais mentir. Voilà une façon inhabituelle de traiter ce problème en grandissant — c'est un déni de l'exemple familial.

Si vous avez participé dans des groupes de soutien aux AA, Al-Anon ou autres, vous pouvez utiliser leurs principes de rétablissement afin d'enrayer cette mauvaise habitude. Vous pouvez faire ce qu'on fait avec l'alcool : vous vous engagez à arrêter, un jour à la fois! Et, un jour à la fois, vous commencez à croire en vous-même. Un jour à la fois, vous travaillez à changer vos mauvaises habitudes.

4. Les enfants-adultes d'alcooliques se jugent sévèrement

Tim, l'enfant de deux alcooliques, m'a écrit pour me faire part de sa vie et de ses sentiments. Il m'a exprimé sa découverte la plus significative, de façon très simple : « Bien que je puisse commettre des erreurs, je ne suis pas une erreur. » Ces paroles m'indiquaient qu'il avait atteint un certain niveau de liberté. Il avait commencé à se voir honnêtement sans se juger. Quand on peut distinguer son comportement de sa personne, on est libre de changer, de se développer et de croître.

Bien qu'on vous ait dit depuis votre enfance toutes vos lacunes, il est important pour vous de reconnaître que chaque affirmation comporte un élément positif et un élément négatif. Par exemple, si vous êtes intelligent, c'est merveilleux puisque vous pouvez comprendre certaines choses que les gens moins intelligents ne peuvent pas comprendre. Pourtant, ces éléments sont bien souvent déroutants. Si vous cherchez en profondeur, la joie est plus intense que la peine. Qui peut donc affirmer ce qui est bon? Qui peut décider de ce qui est mauvais? L'idée est tout simplement d'explorer chaque situation, d'en devenir fasciné et de voir ce que cela signifie.

Vous en êtes peut-être venu à voir votre vie comme un scénario de tragédie grecque. Une de mes clientes en est venue à ce point, bien que rien d'autre que son attitude semble être à la base de ses problèmes. Il n'est pas nécessaire de percevoir la vie comme une souffrance. Si c'est ainsi que vous percevez la vie, il est utile de vous demander où est la récompense. Que gagne-t-on en se jugeant soi-même? Pourquoi ne jamais voir vos bons côtés? Pourquoi ne jamais choisir les éléments qui vous rendent spécial et magnifique? Pourquoi ce besoin de rigidité envers vous-même? La raison en est probablement fort simple. La douleur est pour vous une chose familière et vous avez appris à vivre avec le chagrin. Puisque vous ignorez ce qu'est une vie qui fonctionne bien, vous ne savez pas comment vous y prendre. Il n'est pas rare que des personnes découvrent un certain confort dans l'image médiocre qu'elles se sont faites d'elles-mêmes.

Lorsqu'on prend le contrôle de notre vie et que les choses semblent aller mieux, c'est à ce moment qu'on est le plus vulnérable. Il n'est pas rare de voir notre progrès soumis à un sabotage systématique. Même si on est averti, le besoin du familier prend le dessus. Après tout, les premières influences dans la vie sont les plus puissantes.

Un des exercices que je fais avec mes clients montre qu'un jugement, bon ou mauvais, est fonction de la personne qui le porte. Le groupe s'assoit en rond et décide de *construire* un monstre au centre du cercle. C'est une occasion de nous vider, complètement ou partiellement, de tous les traits de caractère que nous ne désirons plus posséder. S'il s'agit d'une qualité rejetée qu'une autre personne désire, elle peut la cueillir. Nous avançons et reculons ainsi dans ce jeu fascinant. Un homme décide qu'il veut abandonner 90 pour cent de sa procrastination et, avant que son *monstre* n'arrive au centre du cercle, quelqu'un lance : « J'en prends 75 pour cent, parce que je suis une personne beaucoup trop dépendante. »

Une autre personne affirme : « Je veux perdre toute ma culpabilité », et une autre répond : « Ça m'en prend un peu. Je ne veux pas percevoir mes responsabilités par rapport à l'impact qu'elles ont sur les autres. » Les gens semblent surpris au fur et à mesure que l'on avance. Lorsqu'une personne dit : « Je suis las d'être aussi sensible. Je vais me défaire de 60 pour cent de ma sensibilité », une autre répond : « J'ai manqué de sensibilité assez longtemps. Je pense que je vais prendre une partie de la vôtre. »

L'exercice indique clairement que nous devons regarder et explorer nos traits de caractère. Jusqu'à quel point nous sont-ils utiles? Jusqu'à quel point nous bloquent-ils la route? Certainement, les juger et se juger soi-même est moins qu'utile. Qui peut dire ce qui est bon, ce qui est mauvais? De toute façon, si vous vous arrêtez et décidez que vous êtes vous, et que cela est bien, vous avez certes beaucoup plus de choix dans la vie.

Le monstre cesse d'être un mélange confus. Et le seul point sur lequel les gens sont d'accord, c'est de pouvoir jeter au centre ce poids inutile ainsi que les belles-mères tyranniques.

La manière d'accepter des compliments constitue un autre aspect de la façon de se juger. Êtes-vous en mesure de bien les accepter? Rejetez-vous systématiquement tout compliment? L'expérience m'a appris que, si quelque chose ne fonctionne pas, on en accepte toute la responsabilité. Mais lorsque quelque chose va bien, on fait : « C'est arrivé tout simplement comme ça », ou « C'était facile. »

Si c'est votre cas, peut-être considérez-vous cela comme de l'humilité, mais vous perpétuez ainsi une image négative de vous-même. Cela ne vous permet pas de vous accorder de crédit pour les choses que vous faites bien, ce qui vous permettrait de commencer à bien vous sentir.

Vous pouvez choisir d'agir humblement envers les autres, mais vous devez vous assurer d'accepter ce qui vous est dû. Parce que quelque chose vous vient facilement, cela ne veut pas dire que c'est sans importance. Et si vous commettez une faute d'inattention, cela n'en réduit en rien son importance.

Essayez d'être conscient des choses que vous faites bien. Ne les chassez pas de vos pensées. Utilisez-les comme bases vous permettant de devenir une personne complète.

Vous n'avez pas à juger les choses puisqu'elles font partie intégrante de l'être humain entier que vous êtes.

5. Les enfants-adultes d'alcooliques ont du mal à s'amuser

C'est l'enfant en nous qui s'amuse — qui sait comment jouer. Comme l'enfant en nous a été réprimé depuis longtemps, il doit être découvert et développé. Il vous faut devenir l'enfant que vous n'avez jamais été.

Un ami m'a déjà présenté un plan pas très sérieux de location d'enfants. Il fondait son idée sur le fait que certaines activités qu'un adulte aime faire deviennent beaucoup plus plaisantes en présence d'un enfant. Aller à la pêche en est une, et il voulait adopter un enfant aux cheveux roux, aux joues couvertes de taches de rousseur pour l'accompagner. Au parc d'amusement, il voulait aussi un enfant avec lui pour ne pas avoir l'air idiot dans la grande roue.

Cet homme aimait aussi se balancer dans le parc. Vous savez ce que les gens pensent lorsqu'ils voient un adulte sur une balançoire ou dans un tas de sable! Mais si vous amenez un enfant, vous passez pour un bon parent ou un adulte engagé. Les enfants savent comment s'amuser.

Donc, si vous voulez apprendre, passez quelque temps avec un enfant qui sait comment s'amuser. Laissez-vous aller à ces activités enfantines que vous n'avez jamais essayées. Au fait, quels rêves aviez-vous au cours de votre enfance? Quels sont les jeux que vous auriez aimés, mais auxquels vous n'avez jamais participé? Le moment est maintenant venu de commencer à jouer.

Plus votre confiance sera grande, moins vous aurez peur d'avoir l'air stupide. Il se peut que vous ayez besoin d'apprendre à relaxer et à ne rien faire. Se réserver simplement quelques moments pour soi sans décider lesquels doivent être productifs. Aussi ironique que cela puisse vous sembler, vous aurez peut-être à les planifier. Prévoyez-les dans votre journée de sorte que vous ne perdiez pas ces moments à penser à tous les trucs stupides que vous vouliez faire et pour lesquels vous n'avez jamais trouvé le temps. Je peux m'amuser, mais je n'ai aucun talent pour prendre l'initiative. Puisque je ne peux penser à ce qui serait amusant de faire, je passe mon temps avec des gens qui en sont capables. Ce n'est pas surprenant, ils ne sont pas des enfants-adultes de parents alcooliques.

Cependant, je dois admettre qu'une bonne part de mon plaisir est d'amener des gens comme vous à cette étape. Lorsque vous vous détendez et êtes surpris d'autant vous amuser, vous augmentez le plaisir de tous. Les « Ah! Ah! » de la première expérience sont quelque chose de très précieux à partager avec une autre personne.

6. LES ENFANTS-ADULTES D'ALCOOLIQUES SE PRENNENT TRÈS AU SÉRIEUX

Une des raisons pour lesquelles vous avez autant de difficulté à vous amuser, en plus du manque de pratique, c'est que vous vous prenez trop au sérieux. Afin de surmonter ce handicap, vous devez vous dégager de ce que vous faites. Vous devez vous détacher de vos responsabilités, telles celles que vous avez dans votre travail. Il n'est pas nécessaire d'être ce que vous faites. La clé, c'est de prendre son travail au sérieux puisqu'il est approprié et important, mais sans se prendre soi-même au sérieux. Votre travail ne représente pas toute votre personne.

Une des meilleures façons de vous dégager de vos activités est de préparer un horaire. Si vos tâches doivent être accomplies entre 9 h et 17 h, quittez à 17 h. Le fait de traîner jusqu'à 19 h 30 ne fait pas de vous une personne plus productive et, à long terme, il est possible que votre efficacité en souffre. Ce pourrait aussi être une façon de vous défiler devant la vie.

Une cliente, travailleuse bénévole dans un hôpital, consacrait beaucoup de temps aux malades en phase terminale. Elle agissait aussi comme diacre de son église pour apporter l'eucharistie aux gens alités. Elle consacrait beaucoup de temps aux gens autour d'elle. Lorsqu'elle est venue me voir, elle était très près d'un épuisement total.

Elle ne voulait quitter son travail pour aucune considération puisqu'il était important et productif. Elle sentait que cela faisait partie de son être. J'étais plutôt portée à être d'accord avec ses idées. Il nous fallait donc trouver une façon pour qu'elle reprenne un certain contrôle de ses occupations afin de pouvoir s'accorder un peu de temps.

Elle savait déjà comment utiliser ses moments libres. Elle était musicienne accomplie, aimait le théâtre, était athlétique et entourée d'amis. Elle avait déjà prévu comment utiliser ses temps libres. Mais pour une raison ou une autre, cela n'avait été que des projets.

Nous avons donc planifié un horaire très flexible. Elle décida que, deux jours par semaine, elle consacrerait ses avant-midi à travailler et ses après-midi à se récréer. C'était une façon de continuer à prendre son travail au sérieux en se réservant quelques moments pour des activités personnelles. Elle pouvait de cette façon réaliser ses projets de divertissement.

Vous devez faire une planification consciencieuse afin de vous détacher de vos activités quotidiennes. Cette démarche ne se produira pas d'elle-même. Cela ne fonctionne pas tout simplement en disant : « Je vais réduire mes heures de travail. Je vais être différente. » On doit être plus précis.

Vous devez avoir d'autres intérêts et faire d'autres activités pour vivre une vie bien remplie. Sinon, vous devenez borné et limité, et éprouvez plus de difficulté à vous récréer. Vous devenez aussi une personne moins intéressante.

Que faites-vous pour vous-même? Ou plus spécifiquement, qu'avez-vous fait pour vous-même aujourd'hui?

7. LES ENFANTS-ADULTES D'ALCOOLIQUES ONT BEAUCOUP DE DIFFICULTÉ DANS LEURS RELATIONS AMOUREUSES

Cette caractéristique comporte plusieurs aspects. En premier, les enfants-adultes d'alcooliques ne savent tout simplement pas comment avoir une saine relation intime. Votre crainte de laisser pénétrer quelqu'un dans votre intimité vous en empêche. Une partie de cette peur provient de votre peur de l'inconnu. De quoi s'agit-il? Qu'est-ce que cela comprend? L'intimité implique le rapprochement. Comment se rapproche-t-on? Quels sont les éléments d'une bonne relation?

Souvenez-vous qu'une relation saine ne naît pas en une nuit. Il existe plusieurs éléments qui doivent tous être partagés. Lorsque vous êtes au début d'une relation amoureuse, il est important d'offrir à votre partenaire ce que vous aimeriez recevoir en retour.

Le degré d'intimité est déterminé par le degré de partage — selon ce que chaque partenaire est disposé à donner. C'est, en réalité, un contrat qui est mieux rempli lorsqu'il est bien compris et énoncé clairement. Bon nombre d'ententes ont des sous-entendus, mais vous devez trouver une façon de les faire ressortir.

Plusieurs éléments sont essentiels à une bonne relation avec un amoureux, un parent, un enfant, un ami, un époux ou une épouse, ou encore avec un employeur ou un collègue de travail.

La forme ou le degré, cependant, peut changer selon la nature de la relation. Inutile de préciser l'ordre ou l'importance des éléments dans cette liste. Ce qui importe, c'est que tous ces éléments soient présents et qu'ils soient réciproques. En l'absence d'un de ces facteurs, on ne peut maintenir une relation saine avec cette personne.

Une fois de plus, il est important de se rappeler que l'intimité est déterminée par le degré avec lequel les partenaires sont d'accord pour travailler à chacun de ces facteurs. Dans certains types de relations, cette étape est plus importante et plus appropriée que dans d'autres.

Au fur et à mesure que vous lirez la liste, vous serez peut-être tenté d'explorer chaque aspect concernant vos relations avec les gens. Sont-ils tous présents? Vous découvrirez ainsi la raison pour laquelle certaines relations fonctionnent bien, alors que d'autres vont moins bien. Si l'un ou l'autre des éléments manque, il semble y avoir un trou dans la relation.

- VULNÉRABILITÉ — Dans quelle mesure suis-je disposé à laisser tomber mes barrières? Dans quelle mesure suis-je prêt à laisser l'autre personne influer sur mes sentiments?

- COMPRÉHENSION — Est-ce que je comprends bien l'autre personne? Est-ce que je comprends ce qu'elle veut dire par ses paroles et ses actions?

- EMPATHIE — Dans quelle mesure suis-je prêt à ressentir ce que l'autre personne ressent?

- COMPASSION — Suis-je véritablement intéressé aux questions qui préoccupent l'autre personne?

- RESPECT — Est-ce que je considère l'autre personne à sa juste valeur ?

- CONFIANCE — Dans quelle mesure suis-je disposé à laisser l'autre personne avoir accès aux secrets que je ne veux révéler à personne?

- ACCEPTATION — Est-ce que je m'accepte comme je suis? Mon partenaire s'accepte-t-il?

- HONNÊTETÉ — Cette relation est-elle authentique ou comporte-t-elle des jeux de pouvoir?

- COMMUNICATION — Pouvons-nous nous exprimer librement et parler des vraies questions dans la relation? Savons-nous comment le faire, de sorte que l'on se comprend et que la relation progresse grâce au partage?

- COMPATIBILITÉ — Dans quelle mesure aimons-nous et détestons-nous les mêmes choses? Jusqu'à quel point est-il acceptable que nous soyons différents sur certaines attitudes et croyances?

- INTÉGRITÉ PERSONNELLE — Dans quelle mesure suis-je capable d'être moi-même et de m'offrir à l'autre personne?

- CONSIDÉRATION — Suis-je conscient des besoins de l'autre personne aussi bien que des miens?

Voilà les éléments essentiels à une saine relation que les gens ont partagés avec moi. C'est la base.

Le résultat d'une saine relation, sur laquelle tout autre élément est fondé, est : « Suis-je vu par l'autre de façon *réaliste* et est-ce que je vois l'autre de façon *réaliste*? Suis-je capable de voir cette personne comme elle est véritablement? Peut-elle me voir comme je suis? »

Lorsqu'on n'est pas réaliste, les qualités n'ont aucune importance. Elles ne sont ni utiles ni valables. La capacité d'être vu et de voir le partenaire de façon réaliste, quelle que soit la nature de la relation, est critique pour sa survie. C'est probablement encore plus important dans le cas où les deux partenaires ont vécu des histoires différentes puisqu'ils réagiront de façon incompatible au développement d'une bonne relation.

Si vous êtes réaliste, vous et votre partenaire pouvez parler, apprendre de vos problèmes et ainsi vous rapprocher. Si la relation est fondée sur des fantasmes, elle sera vouée à l'échec.

Par exemple, les enfants-adultes d'alcooliques ont peur d'être abandonnés. Lorsqu'un problème survient, ils paniquent, de sorte que le problème fait rarement l'objet d'une discussion. Si vous êtes avec une personne qui a besoin d'un certain espace vital, tout affolement de votre part peut avoir un effet très destructeur. Essayez de dire à votre partenaire : « J'ai un problème et je deviens excessivement tendu lorsque nous avons un différend. Il est difficile pour moi de regarder le problème objectivement. Je sais que tu réagis de façon différente, mais promets-moi que, même si tu es en colère à la suite de mon comportement, tu m'assureras que tu m'aimes. De cette façon, nous pourrons revenir au problème. »

Dans une relation saine, ces réactions doivent faire l'objet d'une discussion. On doit même en parler avant qu'elles surviennent, de sorte qu'on puisse les voir telles qu'elles sont véritablement. La discussion elle-même aura comme effet d'éloigner la crainte de l'abandon. Ensuite on peut dire : « Bon, quelle était la nature du problème avant que je perde mes moyens? »

Dans toute relation, beaucoup de problèmes originent de la relation avec soi-même. Ils sont souvent déguisés en problèmes relationnels qui peuvent aussi en provoquer d'autres et même détruire la relation. Permettez-moi de vous citer quelques exemples.

France, enfant-adulte de deux alcooliques, met fin à un mauvais mariage qui a duré dix ans et vit présentement une relation très amoureuse avec un jeune homme, Ivan. Pour elle, c'est la relation amoureuse la plus saine qu'elle ait connue. L'un de ses problèmes est que, s'il veut la toucher, la tenir dans ses bras avec affection, elle se rend compte qu'elle s'éloigne de lui. Sauf en de rares occasions, elle éprouve une violente répulsion face à ses attouchements. Il semble que ce soit là une réaction excessive parce que le jeune homme est plutôt doux. Il acceptait de lui accorder tout l'espace nécessaire, même des moments de solitude.

Bien que peu exigeant dans son approche, Ivan ressentait le besoin de la toucher et d'être touché pour lui exprimer son affection. Il avait été élevé dans une famille où l'on manifestait ouvertement son affection. La réaction négative de France provoquait des problèmes majeurs dans leur relation.

Sa réaction exagérée étant évidente, il fallait chercher dans ses antécédents pour en découvrir la raison.

Cela s'est manifesté de façon presque inattendue, au moment où sa mère la visitait. Elle était arrivée à midi, avait commencé à boire et avait continué tout l'après-midi. Au fur et à mesure qu'elle s'enivrait, elle multipliait ses demandes à sa fille. « S'il te plaît touche-moi, tiens-moi dans tes bras, j'ai besoin de toi. Tiens-moi dans tes bras. » France me confia : « J'ai fait exactement ce que ma mère me demandait, mais j'en avais la nausée. Elle me faisait ça depuis que j'étais toute petite fille. »

Lorsqu'elle m'a informée de cette situation, la source de son aversion devenait tout à fait limpide. Ce n'était plus un grand secret. Nous étions donc en mesure de le surmonter. Elle en fit part à Ivan. Elle avait besoin de l'assurer qu'il n'était pour rien dans ses réactions — que tout provenait du fait qu'elle était la fille d'une alcoolique. Ces paroles allégèrent quelque peu la situation — nous pouvions maintenant commencer à essayer de changer sa réaction envers Ivan. Si France n'avait pas été capable d'en parler et que le couple ait été dépourvu des éléments nécessaires à une saine relation, surtout la capacité de se voir mutuellement de façon réaliste, le problème aurait certes anéanti leur relation.

Lucie est aussi une personne qui entretient une nouvelle relation qu'elle désire saine pour elle et son partenaire. Lucie, infirmière de carrière, s'est amenée en thérapie avec cette question comme premier point à l'ordre du jour. Enfant de deux alcooliques, elle n'avait jamais connu une relation amoureuse saine. Et elle sentait que seule elle n'y arriverait jamais. Son ami, un médecin, semblait prévenant, sérieux, et intéressé à établir une forte relation et à partager sa vie avec elle.

Un soir, elle me dit : « Eh bien voilà, c'est fait, c'est fini. Je ne veux plus le voir. Je croyais que nous pouvions réussir, mais je me rends compte maintenant que ce n'est tout simplement pas possible. »

« Que s'est-il passé? » lui demandai-je.

« Mercredi soir dernier, répondit-elle, nous avions parlé d'aller dîner au restaurant et j'ai décidé que je ne pouvais pas parce qu'il fallait vraiment que je nettoie la maison. Une fois que j'ai une idée en tête, il n'y a plus rien à faire. Je savais que, si j'allais dîner, je ne penserais qu'au nettoyage de la maison et je ne m'amuserais pas. Donc, je lui ai dit : "Je te verrai demain, je vais rester à la maison et nettoyer." Une heure plus tard, il revenait avec une bouteille de détergent et des mets chinois. Il me dit : "Je savais qu'il te fallait manger de toute façon et j'ai pensé que je pouvais t'aider à faire le ménage." Pouvez-vous imaginer une telle situation? dit-elle. J'ai perdu le nord. Je ne me souviens pas d'avoir été aussi fâchée de ma vie. »

Je lui ai dit : « Ça me semble assez évident qu'il ne voulait qu'être gentil. J'ai l'impression qu'il cherchait à tout prix une raison pour passer quelques moments avec toi. »

Lucie répondit : « C'est ce qu'il m'a dit : "Ce n'est pas important que tu aies des choses à faire pour autant que je puisse passer quelques moments avec toi." »

Je lui ai dit que je croyais que c'était merveilleux qu'il pense ainsi. Nous avons donc commencé à analyser ses difficultés à accepter une telle gentillesse. Personne ne lui avait jamais dit : « Laisse-moi t'aider. Laisse-moi faire ceci pour toi, simplement parce que je t'aime bien. » Pour elle, c'était une expérience qu'elle n'avait jamais vécue. Au cours de son enfance, elle avait mendié dans les rues afin d'éviter qu'elle et son frère soient placés dans un refuge pour enfants, et que les autorités découvrent qu'on les négligeait. La bonté de son ami ne cadrait pas avec ses points de repère. Donc, plutôt que d'accepter son aide, elle laissa la colère s'emparer d'elle.

Après en avoir parlé, il était possible à Lucie de comprendre un peu mieux le point de vue de son ami. Il était encore douloureux pour elle d'accepter sa bonté, mais elle était capable de lui expliquer sa réaction, même si le pauvre homme ne parvenait pas à comprendre. Nul ne pourra comprendre une telle situation à moins d'avoir été l'enfant-adulte d'un alcoolique.

Un autre jeune couple se présenta à moi en raison d'un problème qu'il ne pouvait résoudre. Une fois de plus, savoir que l'épouse était l'enfant-adulte d'un alcoolique fut utile. L'homme souffrait d'un problème d'hypertension. Sa santé était affectée par le stress associé à son travail. Il entendait changer d'emploi. L'hypertension était fréquente dans sa famille. Les médicaments que le docteur lui avait prescrits produisaient beaucoup d'effets secondaires — il préférait donc s'en abstenir. Pour ne pas prendre ses médicaments, il était important qu'il ne réprime pas de sentiment comme la colère; il l'exprimait donc d'une façon qui ne lui était pas dommageable. Il s'enfermait dans sa voiture avec les glaces montées et criait à son patron ou aux conducteurs sur la route. Il piquait une colère lorsqu'il ne parvenait pas à ouvrir une des fenêtres. Ses cris étaient inoffensifs pour les autres, mais bénéfiques pour lui en maintenant sa tension artérielle au niveau qu'il le fallait.

Son épouse réagissait cependant très mal. Elle disait : « Je préférerais qu'il cesse de faire cela. Ses cris dans la voiture et à la maison m'énervent. Je sais qu'il n'a aucunement l'intention de blesser quelqu'un, néanmoins je ne l'accepte pas. Je ne peux plus vivre avec ça. »

Il décida, plutôt que de continuer à déranger sa femme, de mettre fin à ses séances de cris. Il hésitait aussi à lui confier que crier était bon pour lui. Elle lui rappelait : « N'aie pas peur de me dire ce que tu ressens. » Mais il y avait nettement un double message. N'aie pas peur de me dire ce que tu ressens, pour autant que ce que tu ressens corresponde exactement à ce que je veux que tu ressentes.

Nous nous sommes penchés sur le problème. Que signifiait-il? Elle me confia : « Je n'ai pas peur de lui, je sais qu'il ne me veut aucun mal. Il n'est pas question de cela. Je ne sais pas ce qui se passe. » Et tout à coup, il lui vint à la mémoire que sa mère alcoolique se comportait de la même manière que son mari. Elle perdait contrôle, criait, frappait sur les portes sans raison apparente. C'était traumatisant pour une petite fille puisque sa mère était sa source de sécurité.

Lorsque cette femme entendait son mari crier, elle réagissait de façon excessive à cause de son expérience durant l'enfance. Maintenant qu'ils connaissent l'origine du problème, ils ont une bien meilleure chance de se ressaisir. Ils peuvent en parler et résoudre la question.

Une des choses qui doit se produire lorsqu'un couple désire établir une saine relation intime est que le processus, une fois engagé, progresse à son propre rythme. Les deux êtres concernés commencent à prendre plaisir à s'explorer mutuellement et à s'engager non seulement au niveau de la relation, mais au niveau de leur propre personnalité. L'union devient de plus en plus intime avec le temps. Les couples qui s'efforcent d'accroître ces aptitudes, même si parfois ils réduisent un peu leurs efforts, sont capables de fonder une relation amoureuse valable. Ils finissent par aimer la communication, tout en reconnaissant qu'ils n'avaient simplement jamais su comment faire. Cette connaissance leur apporte les éléments nécessaires pour progresser ensemble, pour offrir plus à l'autre et pour se réaliser pleinement comme êtres humains.

À ceux et celles qui se posent des questions sur leur *sexualité*, j'affirme qu'elles proviennent largement d'un manque d'information. Le remède est loin d'être compliqué. Il existe une quantité de bons livres sur le sujet. *Our Bodies, Our Selves* (Nos corps, nous-mêmes) offre beaucoup d'information — exprimée de façon précise et franche. Il existe plusieurs livres pratiques. Pourquoi ne pas en faire la lecture afin de vous familiariser avec des façons différentes de faire l'amour?

La relation physique que vous vivez avec une autre personne n'est pas fondée seulement sur les connaissances techniques que l'on peut facilement acquérir, mais est un aspect d'une relation amoureuse encore plus enrichissante. La relation physique est une forme de communication. Tous les traits de caractère attribués à un enfant-adulte d'un alcoolique peuvent affecter la relation sexuelle. La qualité de la démarche sexuelle dans un couple est symptomatique de toute autre situation dans la relation amoureuse.

Au fur et à mesure que l'on grandit comme être humain et que l'on est capable de mieux communiquer à différents niveaux, on est aussi capable de communiquer sexuellement de façon plus satisfaisante. La relation sexuelle n'est qu'un élément du portrait global. Elle trouve sa place comme toute autre chose dans la vie.

Votre confusion au sujet des rôles sexuels, de la masculinité et de la féminité, et des comportements appropriés envers le sexe opposé sont des points qui touchent tout le monde. Ce n'est pas exclusif aux enfants-adultes d'alcooliques. Nous traversons une période où les normes sont imprécises. Les convenances traditionnelles regagnent de l'importance sur les non traditionnelles. Malgré cette tendance, tout est incertain puisque toutes ces normes fonctionnent en même temps. Donc, si vous êtes confus, vous êtes en compagnie de nombreuses personnes.

Il fut un temps où le rôle du mâle et celui de la femelle étaient clairement définis. C'était vrai au travail, à la maison et dans la chambre à coucher. Ce n'est plus le cas, et les définitions changent.

La seule façon d'être rassuré sur ce fait, c'est de découvrir ce qui fonctionne bien pour vous. Voilà le message essentiel du présent ouvrage. Découvrez l'être humain que vous êtes; soyez fier de ce que vous êtes et soyez disposé à agir en conformité. De cette façon, vous serez une personne entière. Vous bénéficierez d'une bonne santé mentale dans tous les aspects de votre vie et vous serez libre.

8. Les enfants-adultes d'alcooliques réagissent avec excès devant tout changement qu'ils ne peuvent contrôler

Superficiellement, les enfants-adultes d'alcooliques semblent être des personnes très strictes. Ils sont portés à vouloir que tout soit selon leur désir… et pas autrement. Il en est peut-être ainsi partiellement, mais la vérité est tout autre. Les ajustements qui semblent faciles aux autres sont énormes pour l'enfant-adulte d'un alcoolique.

Je me souviens de Martha en proie au désespoir parce que son projet d'aller visiter la ville s'est effondré à la dernière minute, ses amies ayant décidé de faire autre chose. Pour elle, c'était un revers colossal. Joan s'est mise à pleurer parce que quelqu'un de son entourage était en retard. Il n'est pas arrivé très tard, mais la seule idée qu'il soit en retard lui était inacceptable. À un certain moment, un autre enfant-adulte d'un alcoolique, ayant accidentellement décroché son téléphone, se mit à croire qu'elle était punie — ce fut une épreuve accablante.

Ces problèmes ne semblent pas énormes en surface. Pourtant, si vous lisez ces lignes et êtes un enfant-adulte d'un alcoolique, vous comprenez l'ampleur de la situation.

Il s'agit là de réactions excessives, généralement associées au passé d'une personne. Quelque chose du genre s'est produit plusieurs fois, généralement au cours de l'enfance. Un incident apparamment sans conséquence devient la goutte d'eau qui fait déborder le vase. L'être humain revit alors les projets qui ne se sont jamais réalisés, les promesses qui n'ont jamais été respectées et les punitions que vous ne pouviez associer à vos mauvaises actions.

Voilà ce qui se produit quand les projets d'aller visiter la ville sont dérangés, lorsque quelqu'un est en retard, lorsque votre téléphone est débranché accidentellement. La douleur ressentie au moment de l'enfance refait surface à ce moment précis, et vous vous dites : *personne, personne* ne me fera ça de nouveau.

Pour saisir le problème, il faut une grande conscience de soi. La première chose à faire est de reconnaître le moment où l'on agit avec excès. Vous pouvez le faire par vous-même. Votre réaction est-elle inappropriée à la circonstance? Quelqu'un dont vous respectez l'opinion vous laisse-t-il entendre que vous réagissez avec excès? Votre raisonnement est-il devenu irrationnel? La situation demande-t-elle une réaction aussi forte de votre part? Que répondez-vous lorsque quelqu'un vous demande : « Le problème était-il aussi grave que vous le croyiez? »

Si vous êtes sur la défensive devant une telle question, vous avez réagi de façon excessive. Sinon, vous devez vous demander : « Quelles étaient les circonstances qui rendaient la situation si lourde? » Quelle importance que le changement se soit effectué sans votre participation? Et qu'est-ce que tout cela signifiait pour vous? Quand cela s'est-il produit auparavant?

Le manque de connaissance provoquait le sentiment qu'on vous avait intentionnellement infligé un affront. Le prolongement de ce type de pensée est une attitude paranoïaque envers la vie. « On veut ma peau parce qu'ils ont changé les plans à la dernière minute, ou parce qu'ils étaient en retard, ou parce qu'ils ont débranché le téléphone accidentellement. Ils l'ont fait volontairement. » Cette attitude extrême peut naître si vous ignorez que vos réactions excessives résultent de vos antécédents.

La première et la plus significative façon de surmonter cette tendance, c'est d'avoir de plus en plus conscience de vos excès et de déceler l'événement passé qui les a déclenchés. Une autre façon est de modifier volontairement votre routine. Passez une journée en revue. Êtes-vous emprisonné dans tout ce que vous faites? Pouvez-vous rentrer à la maison d'une autre façon? Cette semaine, est-il possible de faire vos emplettes jeudi plutôt que mercredi? Pouvez-vous changer la place des objets autour de vous sans tout bouleverser?

Vous vous rendrez possiblement compte qu'il est plus difficile que vous croyiez de changer votre routine. C'est cependant un point de départ de la flexibilité. Cette flexibilité de caractère dans un secteur aura pour effet de se répandre dans les autres. Vous serez surpris de constater à quel point vous vous êtes adapté à une routine et à quel point vos journées sont structurées méticuleusement. Vous pouvez, à l'occasion, lancer tout en l'air et vous mettre à courir dans une autre direction, comme si vous vous révoltiez contre vous-même. Mais, en termes de conception globale, vous êtes probablement devenu très routinier. En assouplissant cette dimension de votre vie, vous en ferez de même avec votre personnalité et serez en mesure de reconnaître les choses que vous acceptez et celles que vous refusez. Cela ne veut pas dire que vous êtes obligé d'aimer tout ce qui se produit. D'autres personnes que les enfants-adultes d'alcooliques peuvent être désappointés lorsqu'un changement se produit, mais vous, vous n'avez pas à être anéanti, et c'est peut-être là toute la différence. Il n'est pas nécessaire qu'une situation affecte tout votre être.

9. LES ENFANTS-ADULTES D'ALCOOLIQUES CHERCHENT CONSTAMMENT L'APPROBATION ET L'AFFIRMATION

Cette question ici en est une de *confiance en soi*. Il existe une multitude de façons de devenir plus confiant en nos aptitudes.

La première, c'est l'intérêt que l'on porte à l'appui et à l'encouragement des gens. Les enfants-adultes d'alcooliques recherchent constamment cette aide, mais ils ne semblent pas capables de l'utiliser. Il est difficile de faire confiance quand on a appris que la confiance n'apporte que de la douleur; de faire confiance lorsque le message reçu, au cours de l'enfance, est inconsistant. Vous avez peut-être été programmé non pas à faire confiance, mais à croire que ce qui est dit n'est pas nécessairement ce que cela veut dire. Les adultes ne disaient pas ce qu'ils voulaient dire, ni ne disaient ce qu'ils croyaient sincèrement, rendant la confiance excessivement difficile. Donc, lorsque quelqu'un vous témoigne son encouragement, il est très difficile pour vous de le ressentir, de l'accepter et de l'utiliser.

Ainsi, vous continuez à rechercher l'approbation parce que c'est tellement difficile pour vous de l'intérioriser. C'est seulement après avoir été bombardé d'encouragement, au point de ne plus pouvoir le rejeter, que vous commencerez à y croire.

Donc, la première étape est de décider que vous allez prendre le risque de laisser une partie de cet appui et de cet encouragement vous pénétrer intérieurement. Commencez par identifier les gens à qui vous pouvez faire confiance, selon certains critères que vous aurez possiblement établis comme suit : Cette personne vous connaît-elle vraiment bien? Est-ce une personne avec qui vous êtes en contact régulièrement? Jusqu'à quel point cette personne vous accepte-t-elle comme vous êtes? Jusqu'à quel degré vous fait-elle confiance? Jusqu'à quel point acceptez-vous l'autre personne? (Vous pourriez alors plus facilement accepter son jugement.) Cette personne est-elle experte dans le domaine pour lequel elle offre son appui et son encouragement? Voilà les questions que les gens doivent se poser lorsqu'ils tentent de décider s'ils peuvent ou non accepter la confiance et l'assistance de quelqu'un.

Une jeune personne qui n'était pas l'enfant d'un alcoolique m'a confié : « Je fais les choses très différemment. L'appui et l'encouragement constituent une bonne source d'énergie que j'utilise afin d'être capable d'accomplir encore plus. Je prends ces bonnes sensations et les utilise afin de les ressentir encore un peu plus... et ça me plaît. » Elle ne se sentait pas obligée de juger. Pour une raison ou une autre, lorsqu'on lui proposait : « Essaie-le. C'est une bonne idée », elle décidait : « Pourquoi pas? »

Tout en travaillant à devenir plus réceptif aux encouragements des autres, vous avez aussi besoin d'accroître votre confiance en la personne que vous êtes. Voici quelques façons de faire démarrer ce processus.

Demandez-vous ce qui vous a plu parmi les actions que vous avez faites aujourd'hui. La réponse à cette question ne viendra pas rapidement ou facilement. Ensuite, demandez-vous ce qui s'est produit au cours de la journée. Y a-t-il eu une chose, petite ou grande, que vous pouvez qualifier de succès? Repassez la journée en revue. Vous ne vous êtes pas levé en rouspétant et cela pourrait constituer un exploit pour vous. Vous êtes arrivé au travail à temps et c'est peut-être quelque chose qui ne vous arrive pas souvent. Quoi que ce soit, ne le rejetez pas. Ne refusez pas le crédit pour quelques petits succès, simplement parce qu'une autre personne peut en faire autant. Cette fois, c'est vous qui en êtes responsable, c'est donc *votre* succès.

Il vous faut continuer à faire des efforts pour vous attribuer le mérite de vos accomplissements. Votre confiance en vous-même se décuplera à la suite de l'accomplissement des tâches que vous vous étiez attribuées. Que les tâches à faire soient simples ou plus importantes, vous devez prendre l'engagement de les mener à bien, une fois que vous les avez jugées réalistes.

Dans le cas d'un travail ardu, pratiquez-vous à le faire plutôt que d'imaginer une catastrophe. Si vous devez vous présenter à une entrevue pour du travail, ne perdez pas votre temps à vous affoler. Répétez votre rôle comme un comédien. Répétez devant un ami de sorte que la situation ne soit pas complètement nouvelle au moment de l'entrevue. Ne perdez pas de temps à penser à la faillite ou à la réussite. Consacrez-vous au moment présent.

Il se peut que tout ne fonctionne pas parfaitement. Mais si tout va bien, c'est magnifique et ce n'est pas le fruit du hasard. Vous êtes responsable de ce succès. Si le contraire se produit, sortez et tentez quelque chose de nouveau. Il n'est pas nécessaire de vous sentir anéanti. Vous n'êtes pas responsable de tout ce qui ne fonctionne pas, et tout ce qui fonctionne n'est pas une question de coïncidence.

Jour après jour, les gens passent à mon bureau et disent : « Les choses ont très bien fonctionné », et ils en sont ébahis. Je les regarde et j'ajoute : « Ce n'est pas un accident si tout s'est bien déroulé. Vous travaillez sur ce point depuis plusieurs semaines. Vous avez fait pour que les choses aillent bien. Quand cela se produit, c'est généralement le résultat de votre bon travail. Étape par étape, un peu à la fois — c'est loin d'être un accident. »

Voilà quelques façons de faire grandir sa confiance en soi — par de petits succès et en les reconnaissant. Même les petites choses que vous réalisez facilement ne sont pas sans valeur. Donc, mettez à profit ce que vous pouvez bien faire. Procédez une étape à la fois, un jour à la fois. Commencez à vous faire confiance et à faire confiance aux autres. Jamais plus vous ne serez dans une position où vous devez faire confiance à ceux qui n'ont même pas confiance en eux-mêmes. Vous avez maintenant le choix. Vous connaissez maintenant les gens en qui vous pouvez avoir confiance. Vous connaissez maintenant mieux les secteurs où vous pouvez vous faire confiance et ceux où vous ne le devez pas. Vous savez où trouver de l'aide — tout ce qui reste à faire, c'est de l'utiliser.

10. Les enfants-adultes d'alcooliques pensent qu'ils sont différents des autres

Les sentiments d'isolement que vous avez connus au cours de votre enfance ont rendu la communication avec les autres extrêmement difficile. Vous désiriez ce rapprochement, mais ne pouviez en accepter les conséquences. Maintenant, rendu à l'âge adulte, vous constatez que ces mêmes sentiments persistent.

Il est difficile, sinon impossible, de surmonter totalement ces sentiments, mais il existe certaines façons de réduire l'isolement. Il faut prendre des risques, et ça demande des efforts difficiles mais nécessaires. Premièrement, vous devez prendre le risque de partager avec les autres. Cette nouvelle tentative vous permettra de réaliser que, bien que vous soyez unique, vous n'êtes pas tellement différent des autres.

Découvrez tout ce que vous pouvez sur les sentiments des enfants d'alcooliques. Cette démarche vous permettra de comprendre qu'en somme vous n'êtes pas différent. La compréhension intellectuelle ne changera pas vraiment vos sentiments, mais facilitera un peu votre épanouissement.

Se joindre à un groupe est bénéfique. Cela peut être avec un groupe d'enfants d'alcooliques rendus à l'âge adulte, ou avec tout groupe de personnes qui partagent leurs pensées et leurs sentiments. Puisque tous vos sentiments ne sont pas reliés à vos antécédents, il serait utile de découvrir ceux qui le sont et ceux qui ne le sont pas. Vous ne trouverez aucun groupe qui ne compte pas d'enfants d'alcooliques. Vous ne serez jamais la seule personne; pourtant, on parle rarement de ce fait.

Lorsque je parle de risque, je veux dire qu'il faut que vous vous avanciez. Le risque implique de laisser les gens découvrir qui vous êtes et de vous donner l'occasion de mieux vous connaître. La récompense : une meilleure connaissance d'autrui et un plus grand sentiment d'appartenance. Le sentiment de la solitude au milieu d'une foule commencera à s'estomper.

La seule façon d'obtenir les choses que vous désirez vraiment, c'est de les donner. Si vous cherchez à être aimé, offrez de l'amour aux autres. Je sais que, si je veux être comprise, la meilleure façon de m'en assurer, c'est d'offrir ma compréhension. C'est la même chose quand j'ai besoin de me rapprocher. La seule façon de le faire, c'est de permettre à l'autre personne de se rapprocher de moi. Si je peux dire (pas nécessairement à voix haute) : « Vous pouvez vous approcher — je n'ai pas peur. Je vous offre ma présence, mon amitié, mon attention. Je vous offre les choses que je sollicite pour moi-même; ainsi, nous réduirons l'isolement dans lequel nous vivons. »

Je ne suis pas sûre qu'on abandonne complètement le sentiment d'isolement. Je ne suis pas sûre qu'une personne ayant connu ce type d'expérience puisse se sentir tout à fait en lien avec les autres. Mais ce ne sont pas seulement les enfants-adultes d'alcooliques qui se sentent quelque peu différents des autres personnes et qui se sentent à part dans un groupe.

Par exemple, si vous êtes un professionnel ou un patron, vous serez isolé des gens qui travaillent pour vous. Ils afficheront une démarche amicale, mais vous ne ferez jamais partie de leur groupe. Comme vous occupez un poste plus important, vous vous sentirez isolé du groupe. Et si vous exercez une profession de relation d'aide aux autres, vos clients ne se rapprocheront jamais de vous en tant que personne. Ils vous considéreront comme séparé, à part, agissant ainsi pour leur propre bien-être.

Si vous avez commencé à vous réaliser, si vous découvrez qui vous êtes et si vous vivez votre vie selon vos propres idées, vous vous sentirez également à part. La seule façon d'éloigner ce sentiment, c'est de faire les choses, de temps en temps, selon les normes du groupe que vous fréquentez. Si vous avez accepté les principes des AA, vous avez probablement l'impression d'être en communion aux réunions des AA. Cela se produit également dans les groupes paroissiaux. Vous ne vivrez pas cette expérience en permanence, mais vous vous sentirez associé au groupe quand vous vous rendrez compte que vos décisions personnelles ne sont pas tellement différentes de celles des autres membres du groupe.

Il est important de choisir dans votre vie quelques personnes particulières et de leur offrir ce que vous désirez; en retour, elles vous offrent ce qu'elles désirent. En prenant le risque, vous saisissez l'occasion de changer — en ne le prenant pas, c'est l'isolement.

L'essayer une fois ne suffit pas. Promettez-vous chaque jour, de façon modeste, de tendre la main à une autre personne, soit en apprenant à mieux la connaître, soit en lui laissant découvrir la personne que vous êtes vraiment. Ainsi, vous engendrerez un processus d'interaction et tenterez d'accepter ce qui vous est offert.

11. Les enfants-adultes d'alcooliques sont démesurément responsables ou très irresponsables

La question ici, c'est le besoin d'être parfait. « Si je ne suis pas parfait, je ne suis rien. Si je ne suis pas parfait, on me rejettera. Je serai abandonné. Je sais que je ne suis pas parfait mais, si je m'efforce vraiment, nul ne le saura. Donc, je deviendrai l'employé parfait, l'épouse parfaite, le parent parfait, l'ami parfait, l'enfant parfait. J'aurai toujours l'air parfait. Je dirai toujours la bonne chose au bon moment. Si je suis parfait, mon patron m'aimera, mes parents m'aimeront, mes amis m'aimeront. Tout ce qu'il s'agit de faire, c'est d'accomplir tout ce qu'on me demande et encore plus. Tout ce que j'ai à faire, c'est de tout faire. Mais de grâce, ne leur permettez pas de me regarder de trop près! »

On ressent déjà la tension à la simple lecture de ces énoncés! C'est énorme. La tâche de se transformer est aussi énorme. Lorsqu'on n'est pas le *super performant* mais plutôt le *super irresponsable*, le changement est énorme, mais on l'exprime plus facilement. L'envers du scénario est : « Si tout cela est vrai, pourquoi s'en inquiéter? »

Il se peut que les gens vous aiment comme il se peut qu'ils ne vous aiment pas. La personne parfaite contrarie les gens autour d'elle parce qu'ils ne peuvent pas concurrencer, mais d'autres vous aiment s'ils aiment l'image que vous projetez. Que vaut cet amour pour vous? Vous devez continuer à être stressé afin de le maintenir. S'ils vous aiment et vous connaissent vraiment, les chances sont qu'ils ne s'enfuiront pas s'ils vous voient avec des bigoudis.

C'est là où se cachent les risques. Bon nombre de personnes super responsables se rendent malades dans le but d'arrêter enfin. Pour elles, c'est la seule issue et elle est très prévisible. Elles donnent, donnent et en acceptent de plus en plus jusqu'à ce qu'elles soient complètement vidées et tombent malades. En fait, c'est l'épuisement total. Elles ne peuvent trouver une méthode acceptable de s'arrêter.

Éric est un exemple parfait. Il se remet lentement d'un terrible accident d'automobile dans lequel il a été impliqué il y a deux ans. Il est dans un nouveau mariage, avec de nouveaux jeunes enfants et de nouveaux problèmes. Il s'engage dans une nouvelle carrière et cherche du travail.

Par surcroît, il a invité sa mère, veuve depuis quelque temps et déprimée, à venir habiter chez lui. Il a décidé de s'occuper des soins émotifs d'un frère qui vient de rompre une relation, et d'un autre frère qui tente de se libérer d'une dépendance aux drogues. En plus, Éric essaie de satisfaire tous les caprices de sa belle-mère. Les exposés que j'ai faits à Éric pour adoucir la tension allaient à l'encontre d'expressions comme : « Si je ne le fais pas, qui le fera à ma place? »

Éric, hélas, en était venu au point où il ne pouvait plus suffire à la demande. Son corps refusait de descendre du lit. Pour tous les gens dans sa vie, il avait l'air d'un homme malade, ce qui leur donna l'occasion d'être plus responsables. Chacun s'est mis à s'occuper de sa propre vie, ce qui a donné à Éric la possibilité de cesser d'être un surhomme. Il a fallu qu'il se rende malade pour y arriver.

Lyne est dans la même situation. Elle est divorcée et habite avec sa mère alcoolique qui boit toujours. Elle est mère d'un enfant et a une liaison avec un homme qui en a cinq. En plus de son travail à temps plein, elle s'occupe de la maison et des enfants de son ami. Avant d'aller travailler et d'aller mener son fils à l'école, elle doit s'arrêter dans une autre maison, tous les matins, pour préparer les lunchs, nettoyer les vêtements et conduire tout ce beau monde à l'école.

Lyne n'était devenue ma cliente que depuis quelques semaines lorsqu'elle se fractura une cheville. Je lui ai souligné qu'il ne s'agissait pas que d'un simple accident. Se retrouver dans l'incapacité de travailler était la seule façon pour elle de ralentir son rythme, la seule façon dont elle pouvait cesser de se prouver toutes sortes de choses. Il n'est pas surprenant que son amant soit fâché qu'elle se soit blessée, et que Lyne analyse maintenant sa relation amoureuse avec beaucoup plus d'attention. Sa mère a une raison de ne pas boire pendant un certain temps, elle pourra jouer à la mère. Et Lyne peut commencer à trouver des façons d'être un peu moins responsable.

Pour aider ces deux personnes à vivre de façon réaliste, il a fallu les encadrer de lignes directrices précises. Dans le cas de Lyne, ce fut assez simple. Son fils a souffert d'urticaire. Elle m'a promis qu'elle ne reprendrait pas sa relation avec son amant avant que son fils ne soit complètement guéri. C'est précisément cette promesse qui lui a permis de commencer à changer sa vie.

Dans le cas d'Éric, les membres de sa famille étaient devenus très inquiets de sa santé. Ils lui promirent de l'aider et de trouver eux-mêmes les moyens de régler leurs problèmes. Éric était devenu juste trop disponible pour tous. Maintenant, la situation a changé.

Dans les deux cas, quelqu'un avait pris le contrôle et avait apporté son concours. Les choses ne se produisent pas toujours ainsi, mais il faut donner une chance aux autres si l'on veut qu'elles se produisent autrement.

Il n'est pas nécessaire d'attendre de se retrouver dans une situation extrême pour tenter de régler le problème. Une bonne partie de vos problèmes peuvent provenir de votre difficulté à évaluer vos propres possibilités. Vous n'avez peut-être pas bien estimé ce qu'une autre personne est en droit d'attendre de vous. Il est aussi possible que vous n'ayez pas appris comment déléguer des responsabilités.

Si vous regardez d'abord votre travail, il est important que vous établissiez des lignes directrices précises et personnelles. Jusqu'à quelle heure suis-je disposé à travailler? Quand le moment est-il venu de tout lâcher et de rentrer? Vérifiez avec les autres — voyez ce qu'ils font. Passez en revue la description de votre travail. Quelles sont les attentes de vos supérieurs? Que considérez-vous raisonnable et juste? Quel est votre niveau de responsabilité au travail et celui des autres? Quels sont les éléments faisables et ceux qui sont impossibles? Ces questions ont vraiment besoin d'être étudiées minutieusement. Il est aussi important d'en discuter avec une autre personne.

Une des circonstances les plus scandaleuses que j'ai connues concerne une femme qui avait quitté le travail pour se rendre au chevet d'un proche qui agonisait. Pendant qu'elle était à l'unité des soins intensifs à l'hôpital, son patron lui téléphona et lui demanda de revenir au bureau pour finir un travail urgent. Comme elle était l'enfant de deux alcooliques, elle ne savait pas comment juger ce qui était approprié et retourna au travail. Inutile de dire que j'étais sidérée. Elle ne connaissait tout simplement pas la réponse à la question : « Suis-je vraiment obligée d'y retourner? »

Lorsque quelqu'un vous demande de faire quelque chose, posez-vous la question : « Suis-je obligé de le faire? Est-ce que je veux vraiment le faire? » La réponse n'est pas toujours « non », mais « non » constitue une option toujours disponible.

J'étais en visite en Israël, avec un groupe de touristes. C'était l'été, il faisait 115 °F (environ 46 °C) et les gens se sont mis à escalader un mont afin de voir Jericho — un amas de ruines. Je les ai suivis, mais après un moment je me suis arrêtée et j'ai dit : « Un instant! Je ne suis pas obligée de suivre! » Certains m'ont regardée avec surprise alors qu'une femme, faisant partie du tour, ajouta : « Vous savez, vous avez parfaitement raison. Je ne suis pas obligée de le faire non plus! » Plus tard, au moment où nous étions entassés dans un funiculaire sur les pentes du Masada, elle s'est tournée vers moi parce qu'elle avait une peur terrible des hauteurs et me confia : « Suis-je obligée de suivre? » Puisque nous étions à mi-chemin, il n'y avait pas d'autre choix.

« Suis-je obligé de faire ceci? » est une question qu'on doit se poser. En cas de doute, on peut toujours en discuter avec quelqu'un à qui on fait confiance, et non à quelqu'un qui aurait intérêt à nous voir accomplir la tâche.

La prochaine étape qu'il vous faut apprendre est de dire « non » lorsque vous en êtes arrivé à cette décision. C'est très difficile à faire, cela demande de la pratique et il faut prendre un risque. Les gens n'aimeront peut-être pas vous entendre dire « non », mais ils accepteront ce choix parce qu'il fait partie de la personne que vous êtes. Considérez les conséquences possibles et soyez prêt à vivre avec votre décision. Le jeu en vaut-il la chandelle? Quel est votre motif en disant « non »?

Il se peut que vous ne vouliez pas vous empresser de dire « non ». Il se peut que vous ne vouliez pas le faire de façon aussi compulsive que vous avez traité d'autres sujets. Vous pourriez plutôt décider de gagner du temps en disant : « Je ne peux décider maintenant, nous y reviendrons. » Si la personne insiste pour obtenir une réponse immédiate, vous pouvez toujours ajouter : « J'ai besoin d'y penser. »

En vous accordant un peu de temps pour penser, il devient plus facile de dire « non », si cela correspond vraiment à ce que vous ressentez. Vous aurez aussi le temps de penser à une alternative. Gagner du temps vous aide à prendre une décision responsable, et votre entourage sera satisfait.

Si vous y pensez, et qu'une partie de votre message intérieur est (puisque vous êtes un super performant au travail) « Peut-être que je pourrais l'inclure dans mon horaire », la prochaine question à vous poser est « Est-ce que je veux le faire? » C'est peut-être là la clé. « Est-ce que je veux le faire? ou Y a-t-il quelque chose que j'aimerais mieux faire de mon temps? » Il se peut que vous préfériez ne rien faire, une option aussi importante pour vous que toute autre chose, si vous avez choisi que vous ne voulez rien faire et non parce que vous en êtes arrivé au point où vous n'avez plus d'énergie.

Être *super irresponsable* peut résulter de deux situations. La première, c'est que vous avez décidé de ne rien commencer; la deuxième vient du fait que vous êtes épuisé. Bien que les résultats des deux situations se ressemblent, ils sont différents et doivent être considérés de façon différente. Si vous êtes épuisé, vous devez prendre le temps de vous reposer et de vous remettre. Peut-être choisirez-vous de vous retirer pendant un certain temps, et il n'y a rien de terrible à en venir à cette décision. Il vous faut du temps pour ramasser les pièces, guérir, avant de foncer de nouveau. Cependant, après avoir recouvré votre énergie, vous aurez besoin de vivre de façon plus mesurée.

En vous rétablissant, vous aurez besoin de vous occuper de vous-même et vous aurez même à apprendre comment le faire. Pensez aux choses qui vous apportent un bien-être. Il se peut qu'une visite à une clinique pour les gens qui souffrent d'épuisement vous aide à découvrir les méthodes spécifiques qu'ils utilisent pour se rétablir. Il vous faut commencer à apprendre comment absorber de l'énergie non seulement pour donner, mais aussi pour recevoir.

Regardez de près les gens qui vous entourent, la nature de vos relations. Recevez-vous autant que vous donnez? Êtes-vous entouré de gens ayant la force de vous offrir autant que vous leur offrez? Il se peut que, si vous regardez avec soin, vous découvriez que vous êtes entouré de gens qui vous vident mais ne vous donnent rien en retour. Vous devrez changer cette situation en développant des relations avec des gens qui ont autant à vous donner que vous avez à leur donner. C'est possible aussi que vous n'ayez pas permis à votre entourage de vous apporter de l'aide. Vous avez joué au surhomme, maintenant le moment est venu de laisser les autres vous aider de sorte que vous puissiez reprendre vos forces.

Cette fois, vous devez le faire de façon plus réaliste, en n'étant pas tout, pour tous les gens, en tout temps. Vous vous rendez compte maintenant que la récompense n'en vaut pas la peine. On apprécie rarement un martyr au cours de sa vie.

Des gens super responsables ont tendance à se faire exploiter. Et étrangement, c'est presque une demande de leur part. Donc, cette fois, au moment où vous planifiez votre vie, assurez-vous que nul ne sera en mesure de vous exploiter. Prenez conscience que l'on vous rémunère adéquatement pour votre travail en relevant tous les éléments que vous pouvez.

Jen a fait exactement cela et, une fois qu'elle a découvert qu'elle ne pouvait plus travailler dans de telles conditions, elle affronta son patron. Elle avait décidé qu'elle préférait perdre son emploi plutôt que de permettre à qui que ce soit de l'exploiter. Elle s'en est bien tirée. Son employeur lui a accordé ce qu'elle jugeait raisonnable. Le dénouement n'est pas toujours aussi bien, mais votre estime de soi en vaut certes la peine.

Si votre taux d'irresponsabilité est très élevé et qu'il ne résulte pas d'un épuisement total, mais plutôt de votre manque d'accomplissement, le problème est quelque peu différent. Le seul fait d'avoir décidé de lire ce livre indique que vous êtes disposé à changer. Voilà un problème difficile. Vous aurez probablement besoin de définir ce que vous voulez faire.

Vous aurez peut-être à vous orienter dans une première direction et accepter, au début, des succès limités. Il serait peut-être utile de trouver les domaines qui vous intéressent. Par exemple, penser à retourner aux études. Ce serait une bonne idée de le faire avec un orienteur professionnel — afin de tracer un parcours avec une personne qui comprend les difficultés psychologiques que vous traversez en tentant de devenir plus responsable et moins craintif du succès que cette démarche comporte. Vous n'y arriverez probablement pas seul, mais vous pourrez certes mettre le processus en marche. Par ailleurs, si vous paralysez au moment où les choses commencent à fonctionner pour vous, vous découvrirez peut-être, à l'instar d'un de mes clients, que vous pouvez atteindre un certain point et pas plus. Il s'est retrouvé sur le campus de l'université, sans pouvoir se rendre au bureau d'inscriptions. Il pouvait remplir toutes les demandes d'inscription, mais ne pouvait se rendre en entrevue.

Vérifiez la distance que vous pouvez parcourir seul, mais il se peut que votre démarche nécessite une assistance. Cela ne veut pas dire que vous êtes malade, mais plutôt que vous comptez sur une assistance professionnelle pour franchir un obstacle. La décision de demander de l'aide constitue probablement la partie la plus difficile.

12. Les enfants-adultes d'alcooliques sont extrêmement loyaux, même lorsqu'une telle manifestation de loyauté n'est pas méritée

La loyauté est une qualité très admirable. Pourtant, toute qualité poussée à l'extrême n'est pas nécessairement bénéfique pour vous. Vous êtes aveuglément loyal envers tous ceux avec qui vous entrez en contact et qui touchent votre vie. Votre loyauté s'étend à vos amants, à vos amis, à la famille et à vos employeurs. Vivre avec vous une telle relation constitue une valeur inestimable pour les autres, et vos craintes d'être abandonné rendent presque impossible de votre part tout abandon des autres.

Si vous êtes associé à des gens qui ne vous traitent pas d'une façon que vous jugez convenable, il est important de repenser votre loyauté. Il se peut qu'elle ne soit pas appropriée. La loyauté ne doit pas être une dette forcément. Les relations dont je parle sont celles où vous vous posez les questions, jour après jour : « Pourquoi m'en soucier? Pourquoi les maintenir? Est-ce que cela en vaut la peine? Pourquoi suis-je idiot à ce point? Pourquoi ne puis-je lâcher prise? »

Pour rompre les liens que vous ne désirez plus, vous devez suivre plusieurs étapes. La première est de préciser la réalité de la situation et de vous questionner : « Quelle est la nature de cette relation? Que se passe-t-il en ce moment? » Ensuite, vous vous entendrez formuler : « Mais, mais... » Lorsque les « mais » commencent, vous n'êtes plus associé au moment. Vous n'êtes plus au milieu de la réalité, mais plutôt dans une fantaisie du passé ou du futur. « Pourquoi ne peut-il pas en être comme il en était? »

Ce ne peut être comme c'était parce que ce n'est plus comme c'était. Il vous faut comprendre la différence. Au stade initial d'une relation, les gens se traitent souvent d'une certaine façon, puis très différemment lorsque la relation devient routinière. Ce n'est peut-être pas votre cas, mais ce l'est pour plusieurs autres. Vous présumez alors que si l'autre ne vous traite plus comme au début, vous en êtes la cause. Ce n'est pas réaliste de se dire : « Si seulement je pouvais dire ou faire la chose appropriée, la vie redeviendrait ce qu'elle était. »

Au fur et à mesure qu'une relation se développe et que les gens apprennent à mieux se connaître, la relation doit changer. Elle peut devenir plus ou moins significative. Les gens peuvent être pleins d'égards envers vous ou moins prévenants. Plusieurs choses se produisent. Rien ne demeure stationnaire : ce qui existait au début n'existe plus.

Croire que vous pouvez tout simplement traverser une période difficile, que les choses redeviendront merveilleuses, ne peut pas être réaliste.

Vivre dans le futur est une mauvaise idée, puisque nul ne peut prédire le futur. Lorsqu'un couple jouissant d'une saine relation traverse une période difficile, chacun des partenaires partage ses sentiments avec l'autre. Si chacun range son agressivité, les deux peuvent se parler et empêcher qu'un moment désagréable se reproduise.

La quantité d'énergie que l'on investit dans une relation est un facteur important. Lorsque vous prenez un peu de recul, que vous réclamez plus d'égalité dans la relation, des choses intéressantes commencent à se manifester. Si vous regardez objectivement ce qui s'est produit au cours des stades initiaux de la relation, vous pouvez vous rendre compte que vous y avez consacré beaucoup d'énergie. C'est votre façon à vous d'agir et cela vous plaît.

Le conjoint a réagi positivement. Et, chemin faisant, vous avez peut-être ressenti vous-même un besoin. Vous avez peut-être fourni un peu moins d'énergie et l'autre s'en est offusqué. C'est peut-être à ce moment qu'il a cessé de vous traiter de la façon dont vous vouliez être traité.

C'est possiblement le moment où vous avez commencé à être malheureux — lorsque vous avez pris un peu de recul, et qu'il ne s'alimentait plus de votre énergie.

Je connais un homme dans cette situation. Lorsque sa femme, une enfant-adulte d'un alcoolique, a fourni moins d'énergie, les gens ont commencé à le voir comme une personne diminuée. Elle lui avait tellement donné que, lorsqu'elle diminua son rythme, il avait l'air affaibli.

La première étape pour juger si votre loyauté est appropriée ou non est d'être réaliste dans l'analyse des composantes de la relation, sans vous laisser aller à revivre le passé ou faire des projections dans l'avenir. Seul le présent est réel. Demandez-vous : « Quelle est la meilleure chose pour moi, maintenant? Ma loyauté envers la personne est-elle adéquate au moment présent? »

Une grande loyauté est nécessaire lorsqu'il s'agit d'une relation avec un enfant qui traverse une période terrible, ou avec une personne qui est très malade et ne peut plus offrir ce qu'elle offrait jadis. Vous avez peut-être le désir de demeurer loyal, mais ressentez le besoin de prendre une décision réfléchie. Vous devez vous dire : « J'aime Janine. Je vais demeurer près d'elle. Je lui serai loyal, même si ça ne fait pas mon affaire en ce moment. Je serai prudent. Je me protégerai en espérant que tout rentrera dans l'ordre. »

L'étape suivante à faire si vous voulez prendre une décision au sujet de votre loyauté sans qu'elle soit automatique, c'est de vous dire : « Que reste-t-il pour moi? Quel est l'avantage? Pourquoi maintenir cette relation? Qu'est-ce que cette autre personne représente pour moi? » Les réponses à ces questions sont fréquemment assez surprenantes. Vous découvrirez peut-être qu'une personne représente quelqu'un d'autre dans votre vie. Votre amant pourrait fort bien ressembler à ce que votre parent alcoolique était quand vous étiez enfant. Il se peut que vous répétiez un modèle parce qu'il vous est familier. Vous n'avez peut-être pas encore rompu d'anciens liens et êtes encore en stade de formation.

En quoi cette personne est-elle comme vous? Avez-vous été attiré vers une autre personne qui vous ressemble beaucoup? Qui est cette personne? Que représente cette personne pour vous?

Après avoir trouvé les réponses, vous devez commencer à vous détacher de cette autre personne. Vous devez commencer à reconnaître où son rôle se termine et où le vôtre commence. Vous devez faire la différence entre ce qui se rapporte à elle et ce qui se rapporte à vous. Lorsque ces éléments sont précis, l'emprise de cette personne sur vos sentiments diminue.

Les gens qui ne sont pas dignes de notre loyauté trouvent souvent des choses à redire contre nous. Ils consacrent beaucoup de temps à nous rappeler ce qui ne va pas chez nous. Soyez prudent lorsque vous entendez ces remarques. Si vous décidez d'écouter, assurez-vous de bien identifier la personne dont on parle vraiment. Ces énoncés se rapportent-ils vraiment à vous, ou cette personne se projette-t-elle sur vous? Soyez attentif afin de percevoir où cette personne finit et où vous commencez. Les douleurs, les peines et la colère d'une autre personne n'appartiennent qu'à elle. Vous pouvez éprouver une certaine compassion, une communion d'idées, mais ses doléances ne vous appartiennent pas. Toute loyauté où vous vous perdez et devenez submergé dans les déboires de l'autre n'est pas dans votre intérêt.

Par culpabilité, vous pouvez être pris dans une relation qui n'est pas bonne pour vous. Si vous ressentez facilement de la culpabilité, vous croyez avoir une dette envers cette personne. Lorsque je demande à mes clients quelle est cette dette, j'entends : « Bien, elle a été gentille envers moi. Elle se soucie de mon bien-être. »

Vous vous sentez coupable et croyez être redevable de quelque chose — pour des raisons non fondées. Si quelqu'un vous porte attention, c'est simplement parce que vous en valez la peine. Votre amitié constitue un bienfait. Si vous admettez que vous lui devez quelque chose lorsqu'il vous a donné son amitié, vous lui dites, en fait : « Je n'ai aucune valeur. » Si vous commencez à vous éloigner, il fera en sorte que vous vous sentiez coupable. Il vous confiera qu'il a besoin de vous, et vous éprouverez une grande difficulté à vous détacher de lui.

C'est peut-être un moment où la relation peut changer. Vous pouvez répondre : « Je ne veux pas mettre fin à notre amitié, mais je ne peux continuer une relation qui ne me convient pas. Si on peut en parler et si les choses peuvent changer de sorte que ce soit bon pour nous deux, peut-être que j'y repenserai. »

Maintenir une relation sans culpabilité représente pour vous un élément qui mérite une analyse méticuleuse. Votre amitié constitue un présent qui doit être apprécié. C'est loin d'être une dette simplement parce que quelqu'un a accepté votre amitié. Regardez à la loupe ce que vous avez offert et ce que vous avez reçu en échange. Croyez-vous toujours avoir une obligation? Y avez-vous pensé avec impartialité et réalisme? Avalez ces mais, mais, mais...

Vous pouvez aussi continuer à vivre certaines relations qui ne vous conviennent pas parce que vous avez peur de la solitude et de l'isolement. Ce n'est probablement pas pour vous la dernière occasion d'avoir un ami, une maîtresse, un amant, ou la seule personne au monde qui s'intéressera à votre bien-être. Vous avez visiblement gonflé la réalité.

N'oubliez pas, vous avez « vous-même », vous pouvez apprendre à mieux vous connaître — n'est-ce pas merveilleux? Être seul avec soi-même peut vous faire passer d'un état de crainte à une expérience désirable.

Vous maintenez peut-être une relation parce qu'elle vous procure une certaine supériorité. Si votre partenaire ne vous offre pas tout ce que vous lui offrez, vous pouvez vous sentir plus important, et pensez qu'il devrait avoir une dette et être loyal envers vous. En réalité, vous vous dites : « La seule façon pour que je puisse me sentir bien, c'est d'être associé à quelqu'un qui est moins que moi. Ainsi, je peux rehausser mon Moi. Si cette personne m'est inférieure, je peux m'élever. »

Voilà la récompense possible : « Bien que vous ne me traitiez pas au niveau de mes attentes, je me sens supérieur, c'est ainsi que je construis faussement mon estime de moi-même. » C'est un aspect que vous devez considérer très attentivement. Outre vos récriminations, y a-t-il quelque chose dans cette relation qui vous donne un certain plaisir?

Vous pouvez sincèrement croire être en amour avec quelqu'un, et je n'argumenterai jamais sur ce point. Si j'avais à le définir, je décrirais l'amour comme une mise en valeur. Si vous et moi partageons une relation amoureuse, c'est une mise en valeur réciproque. Nous sommes beaucoup plus que ce que nous serions si nous ne vivions pas ce partage. C'est probablement là que votre loyauté ne convient pas — même si vous la qualifiez d'amour.

Le nom que vous lui avez donné n'est peut-être pas très important. La question importante est : « Est-ce bon pour moi? » C'est un peu comme si nous tentions de découvrir si vous êtes alcoolique. Je n'aborderais pas ce sujet. Je ne sais pas si vous êtes alcoolique, mais pourquoi n'êtes-vous pas tout simplement abstinent? Je ne sais pas si vous aimez cette personne, mais pourquoi ne décidez-vous pas tout simplement que personne n'a le droit de vous traiter de façon moindre, parce que vous aimez ce que vous êtes et que vous êtes important pour vous-même?

Si vous décidez qu'un changement de relation s'impose et que votre loyauté est mieux servie ailleurs, la rupture complète peut s'avérer difficile en raison de vos craintes. Pourquoi vous limiter? Pourquoi ne pas développer d'autres amitiés? Pourquoi ne pas canaliser votre énergie dans de nouvelles relations, avec lesquelles vous essayerez d'être plus réaliste? Au fur et à mesure que ces relations se développent, vous pouvez commencer à rendre moins importante celle qui ne vous convient pas. Il n'est pas nécessaire que ce soit tout ou rien. Il n'est peut-être pas nécessaire d'éliminer complètement cette personne, mais simplement de réduire l'impact de la relation. Plusieurs choix et plusieurs directions sont possibles. Être réaliste dans ce que vous voulez et pour qui vous voulez constitue un bon point de départ.

13. Les enfants-adultes d'alcooliques agissent impulsivement. Ils ont tendance à s'emprisonner dans une voie sans prendre sérieusement en considération les comportements alternatifs ou les conséquences possibles. Cette impulsivité mène à la confusion, au dégoût de soi et à la perte de contrôle sur leur environnement social. Conséquemment, ils consacrent une quantité excessive d'énergie à réparer les dégâts

Le comportement impulsif dont on parle n'est pas étranger à une crise de colère chez un enfant de deux ans qui désire ce qu'il désire, au moment où il le désire. Le jouet qu'il lorgne est pour lui la chose la plus importante dans son petit monde. Ce n'est pas différent d'un enfant de deux ans qui décide de traverser la rue en courant, au milieu de la circulation.

Un enfant de deux ans retient aussi sa respiration jusqu'à ce qu'il bleuisse. Puisqu'il recherche démesurément l'attention, il est prêt à se punir en se faisant mal. Votre comportement n'est pas tellement différent. La seule différence est que vous êtes la personne responsable de vos actions, contrairement à l'enfant qui a quelqu'un d'autre à qui reléguer la responsabilité. Il est fort possible que, dans un environnement différent, vous auriez évolué d'une autre façon et que vos désirs vous affecteraient maintenant autrement.

Mais ce n'est pas la question qui nous intéresse. Il s'agit plutôt de savoir ce que vous ferez afin de ne pas vous comporter comme un enfant de deux ans. Vous savez qu'un tel comportement ne peut fonctionner pour vous, et c'est peut-être là la seule différence.

Le secret, c'est de vous barrer la route à la croisée, de contrecarrer vos impulsions jusqu'à ce que vous ayez examiné les conséquences et les alternatives. Il est important de vous ralentir de sorte que, une fois placé sur la bonne voie d'action, vous ne soyez pas porté à délaisser la raison.

Si vous travaillez avec un conseiller ou si vous avez un mentor à qui vous parlez sur une base régulière, vous avez peut-être la chance de gagner un peu de temps. Les exemples qui suivent indiquent comment le problème a été résolu chez certains de mes clients.

Une dame avait vécu plusieurs relations désastreuses avec les hommes. Nous avons étudié exactement ce qui se produisait. Y contribuait-elle? Comment établissait-elle ses choix? Nous avons étudié toutes les issues et en sommes venues à la conclusion qu'elle ne pouvait pas être considérée comme une victime.

Elle m'a appelée un après-midi, juste avant que je parte pour un voyage d'affaires, et m'a confié : « J'ai trouvé la réponse. Vous et moi regardions le problème sous un mauvais angle. Ce n'est pas que j'ai des problèmes relationnels. J'ai des problèmes avec les hommes. La vérité est, je crois, que j'aurais beaucoup plus de plaisir avec une femme, et je pense que c'est précisément ce que je vais faire. J'ai rencontré cette femme, et c'est une nouvelle direction pour ma vie. »

La première idée qui m'est venue en tête, c'était : « Que puis-je faire pour ralentir cette situation? » Le sexe de la personne impliquée n'est pas le point — si vous ne pouvez établir un rapport avec un homme, vous ne pouvez établir un rapport avec une femme. Elle aurait certes davantage compliquer sa vie en entretenant une relation homosexuelle.

Je lui ai demandé si elle pouvait attendre que je revienne de mon voyage. Elle accepta, ce qui était raisonnable. Si c'était, de fait, l'orientation qu'elle voulait donner à sa vie, attendre une semaine ou deux ne ferait aucune différence. Cette période s'est avérée suffisante. Au moment où je suis revenue, ce n'était plus une préoccupation dans sa vie. L'impulsion du moment s'était envolée.

La même chose s'est produite chez Harold. Il m'a appelée pour me dire qu'il détestait son patron et son travail, et qu'il se sentait dans le mauvais domaine. Il avait rédigé une lettre de démission qu'il devait remettre à son patron le lendemain matin.

Je lui ai demandé d'attendre qu'on ait révisé la situation ensemble. Il accepta. Ce n'était pas une urgence absolue. Ce devait bien sûr se faire prochainement, mais pas nécessairement le matin suivant. Au moment de notre rencontre, sa position avait changé. Il était plus calme et l'urgence s'était dissipée.

Voilà deux circonstances où les principaux intéressés se sont rendu compte qu'ils étaient probablement sur la mauvaise voie. Il se peut que le comportement qu'ils croyaient rationnel à un certain moment ait pu les stresser plus tard. Il m'arrive plus souvent d'entendre une personne me dire ce qu'elle a fait la veille que ce qu'elle fera le soir.

Pour ceux et celles qui n'ont pas recours à une assistance professionnelle, il existe certaines façons permettant de surmonter soi-même son impulsivité; on la reconnaît en raison de la quantité d'énergie impliquée, et parce qu'on se sent dominé et poussé, et qu'on ne peut passer à autre chose.

Lorsque vous éprouvez cette sensation, vous devez vous demander : « Qui d'autre que moi pourrait être affecté par ce comportement? » Je ne propose pas qu'on se dise : « Cela est bon », ou « Ceci est mauvais », ou « Je ne devrais pas faire cela », ou « Je devrais faire ceci » parce que, à ce moment-là, c'est la seule façon pour vous de voir la situation, et il n'est absolument pas important que vous aimiez ou que vous n'aimiez pas.

Ce qu'on doit faire, alors, c'est de regarder les autres personnes impliquées dans ce comportement. Qui d'autre que soi pourrait être affecté par ce comportement? Comment ces personnes seront-elles touchées par mes réactions? Il se peut que vous vous fichiez de la façon dont vous serez affecté au moment où l'action semble prendre le dessus. Votre sensibilité semble perdue, bien que vous croyiez vous réaliser pleinement.

En se posant ces questions, on devrait pouvoir suffisamment retarder l'action, s'accorder un peu plus de temps afin d'évaluer les conséquences et les alternatives.

Une décision prise de façon impulsive n'est pas nécessairement toujours mauvaise. Quitter votre emploi pourrait être la meilleure décision pour vous. Il se peut aussi que l'homosexualité vous soit préférable. Mais ces décisions doivent être prises après une longue considération, tenant compte des avantages et des désavantages. Elles doivent être prises avec un esprit lucide de sorte que vous puissiez vous sentir confortable dans tout ce que vous entreprendrez. De cette façon, vous n'aurez pas à vous répéter : « Je n'aurais donc pas dû agir avec tant d'imprudence. »

Ce qui est bon pour vous ne l'est pas nécessairement pour les autres personnes de votre entourage. Il se peut que penser à elles soit aussi important. Quitter votre emploi parce que vous détestez votre travail peut être une bonne chose pour vous. Pourtant, si vous êtes la seule personne à assurer la survie de vos enfants, ce n'est pas un changement approprié. Si vous croyez qu'un bon nombre de vos problèmes sont causés parce que vous tentez de ne pas prendre de drogue et que vous êtes marié, toute décision prise à la hâte pourrait être dommageable pour votre conjoint.

Je ne vous dis pas quelle décision prendre. Je suggère tout simplement que vous trouviez une façon de gagner du temps, de sorte que vous puissiez considérer les implications de vos actions. Dans une telle situation, comme dans tous les autres aspects de votre vie, le choix est important. Dans le cas d'un comportement conscient, d'un choix bien fondé, et où vous êtes disposé à répondre de vos actes, vous vous sentirez mieux dans votre peau, quelle que soit votre décision.

Votre expérience de vie a été que toute promesse qui ne se manifestait pas immédiatement signifiait tout simplement que rien ne se produirait jamais. Maintenant, vous ne vivez pas dans le même environnement; donc, les règles peuvent changer. Pensez aux choses que vous avez accomplies rapidement et à la gratification immédiate que vous deviez recevoir. Qu'est-ce qui vous incitait à agir si rapidement? Était-ce à votre avantage, à brève échéance? Était-ce à votre avantage, à longue échéance?

Par exemple, plusieurs d'entre vous ont quitté l'école. Quels en ont été les avantages? Quelles sont les choses que vous regrettez le plus d'avoir faites à la hâte? Les choses que vous regrettez sont peut-être celles que vous croyiez désirer sur le moment. Il vous faut commencer à analyser votre vie plus en profondeur.

L'une des meilleures façons d'y arriver est de fantasmer. Où aimeriez-vous vous retrouver dans cinq ans? Avez-vous l'intention de faire la même chose que vous faites présentement? Voulez-vous donner une nouvelle orientation à votre vie?

Pensez aux étapes nécessaires pour y arriver. Alors, vous vous rendrez compte que les avantages ne sont pas tous au bout de la ligne. Par exemple, en travaillant pour obtenir un diplôme universitaire, les avantages n'arrivent pas tous nécessairement le jour de la collation des grades.

Il se peut que certains petits avantages se manifestent en cours de route. Pensez-y. Visez ces récompenses. Établissez votre propre système de gratification. Lorsque l'institutrice des cours élémentaires distribuait des étoiles dorées aux élèves qui remettaient des travaux bien faits, cela servait un but. Cela voulait dire : « Vous avez bien réussi. » Aucune situation ne correspond à « tout ou rien ».

Lorsqu'on fait des choses trop rapidement, on se pose parfois les mauvaises questions ou on en vient aux mauvaises décisions. « Je veux un divorce » pourrait bien vouloir dire : « Je ne veux plus vivre de cette façon. » Ce sont là deux dimensions bien différentes. La décision « Je ne *veux* pas vivre de cette façon » peut se changer en « Je ne *vais* pas vivre de cette façon. » Ce qui ne veut pas nécessairement dire un divorce.

Il se peut que cela veuille dire changer votre mode de vie — solliciter l'aide d'un conseiller ou une foule d'autres choses. Cela peut aussi vouloir dire un divorce, mais pas nécessairement. Si l'on reporte la gratification, on s'accorde la possibilité de découvrir la vraie signification. Vous pouvez vous sentir étouffé. Le divorce peut ne pas être la solution. Cela peut signifier de prendre de nouvelles décisions concernant votre cheminement personnel.

Je n'irai pas jusqu'à prétendre que la gratification obtenue lorsque vous attendez est toujours plus merveilleuse que ce à quoi vous vous attendiez sur le moment.

Ce serait insensé, irréaliste. Parfois, la gratification tardive est plus merveilleuse et l'expérience plus enrichissante, mais dépourvue de l'exaltation associée à l'accomplissement d'une action au moment où vous le vouliez.

Le problème avec la gratification immédiate n'est pas dans ce que l'on ressent sur le moment. Sur le coup, elle est sensationnelle. Quitter l'école en sachant qu'on n'aura plus à revoir le professeur de géométrie, c'était formidable. Ce dessert riche et crémeux qu'on a mangé hier soir était délicieux. La personne avec qui on a fait l'amour dans un moment de passion extrême était sensationnelle.

Tout cela est vrai. Cependant, il y a la contrepartie qui ne reflète pas la joie du moment, mais en est grandement affectée. Décrocher de l'école et ne plus voir le professeur voulait aussi dire qu'il n'y aurait ni graduation ni réalisation plus tard des rêves de carrière. Le fait de manger ces desserts succulents voulait aussi dire qu'il serait impossible de porter le costume de votre choix. Faire l'amour passionnément avec une personne voulait aussi dire le risque d'un enfant non désiré ou d'autres problèmes. Ce n'est pas aussi simple que de vivre l'expérience sur le moment. On doit reconnaître que l'on se raconte des histoires. Lorsque vous décidez qu'une action doit être faite immédiatement, à l'instant même, demandez-vous si vous ne vous contez pas des histoires — demandez-vous quelles seront les conséquences si vous vous faites prendre. La voiture d'occasion qu'il vous fallait absolument acheter, avec l'argent des vacances de la famille, pourrait ne pas fonctionner de façon aussi satisfaisante à la longue que dans l'immédiat.

Tentez de vous rendre compte que vous vous racontez des histoires ou que vous vous adonnez à un petit jeu fantaisiste. Au moins, de cette façon, vous rationalisez.

Demandez-vous, au moment où vous désirez absolument avoir un dessert : « Vais-je me faire prendre? » C'est une question intéressante, n'est-ce pas? Dès lors que vous vous décidez, vous commencez à rationaliser. « C'est vraiment une petite portion. Je ne mangerai que la croûte. Dès demain, je me soumettrai à une diète. J'ai été bonne hier, je n'ai mangé qu'un léger déjeuner. » Je n'ai pas à vous rappeler toutes les choses que vous vous dites.

Si vous vous demandez si vous allez vous faire prendre, votre réaction pourrait être bien différente. Bien sûr, vous allez vous faire prendre. Vous allez oublier les kilos que vous vouliez perdre. Ou, tout au moins, vous ne les perdrez pas rapidement. Oui, vous allez toujours vous faire prendre.

Pouvez-vous vous faire prendre à décrocher de l'école? Il vous faut y penser. Pensez aux alternatives qui vous semblent plus désirables que celle d'aller à l'école. Tenez compte également des avantages de ne pas décrocher; s'ils sont plus importants que les premiers, vous pouvez vous faire prendre.

Les implications d'une relation sexuelle sans préparation sont assez évidentes. Oui, on peut se faire prendre. Et la même chose est vraie pour la voiture d'occasion plutôt que les vacances de la famille.

Après s'être rendu compte qu'on peut se faire prendre, la question suivante à se poser est : « Est-ce que ça en vaut la peine? » Si la réponse est oui, il faut se réjouir de l'expérience. Si la réponse est non et si l'on décide que l'expérience doit être retardée ou abandonnée, on est fier de soi-même puisqu'on en retire une satisfaction basée sur un choix.

Ces options de pouvoir choisir sont importantes puisqu'elles vous permettent d'avoir la liberté d'agir ou de ne pas agir — le plus grand cadeau que l'on puisse s'offrir. On se libère ainsi de la nécessité d'agir de façon impulsive et on prend la responsabilité de sa vie. Quelle position exceptionnelle!

◆ CHAPITRE 4 ◆

Que dire
de vos enfants?

Les enfants-adultes d'alcooliques ainsi que les enfants des enfants d'alcooliques ne sont ni plus ni moins blessés émotivement que les autres enfants qui vivent dans une situation stressante. L'alcoolisme ne peut à lui seul s'accorder tous les blâmes des enfants stressés. La culpabilité que l'on porte en raison de notre incapacité à offrir un environnement idéal à la maison, quelles que soient les circonstances, n'apporte rien à personne. Tout ce que cela peut réussir à faire, c'est de drainer l'énergie des actions que l'on pourrait accomplir afin de changer la situation.

Non seulement plusieurs blessures subies au cours de leur enfance sont réversibles, mais avec votre aide, vos enfants peuvent être plus forts, avoir un plus grand respect de soi en raison de leurs expériences. Je suis sincère sur ce point. Des éléments négatifs peuvent être transformés en éléments positifs, si on sait s'y prendre. J'ai découvert, au cours de ma carrière de consultante auprès de vos enfants, que l'amélioration est immédiate et considérable. Plus souvent qu'autrement, votre assistance devient un élément important dans la réorientation de votre enfant. Vous êtes une personne importante dans sa vie et vous pouvez représenter une force énorme pour son bien-être. Vous pouvez lui enseigner une foule de choses qui auront pour effet d'accroître sa valeur personnelle.

QUOI DIRE À MES ENFANTS?

Voici une liste de lignes directrices qui vous aideront à briser le cycle des problèmes occasionnés par l'alcoolisme dans la prochaine génération. Elle compte dix points très simples.

Puisqu'un bon nombre d'entre vous ont développé un problème d'alcoolisme, et d'autres ont marié des alcooliques, il est fort possible que vos enfants évoluent dans une situation de combat. Les lignes directrices sont conçues en tenant compte de ce fait. Si vous êtes assez chanceux de ne pas être alcoolique vous-même et que vous ne vivez pas pour l'instant avec un alcoolique, les conseils peuvent néanmoins être très utiles, puisqu'on peut les adapter à toutes les situations.

1. TRAVAILLEZ SUR VOUS-MÊME ET SUR VOTRE CROISSANCE PERSONNELLE

Vous êtes un modèle pour vos enfants et les enfants apprennent par l'imitation — que vous aimiez le rôle ou non. Si vous êtes triste et confus, vos enfants le seront. Si vous êtes irascible, vos enfants le seront. Ils ont eu peur et ils se sont sentis coupables et obsédés par l'alcool comme vous. Vous pouvez aussi bien établir un climat négatif que positif à la maison. Si vous accrochez un sourire à vos lèvres, vos enfants souriront. On peut sentir la tension dans l'air. Sans qu'une parole ne soit dite, toute la maisonnée ressent cette tension. Si vous pouvez réussir à relaxer, la bonne humeur règnera dans votre maison. C'est un bon point de départ.

2. SOYEZ À L'ÉCOUTE DE VOS ENFANTS

Asseyez-vous avec vos enfants et écoutez ce qu'ils ont à dire — quel que soit leur propos. Laissez-leur savoir que vous êtes intéressé et offrez-leur toute votre attention. Le fait d'écouter ne veut pas dire que vous êtes d'accord, mais simplement que vous êtes disposé à les entendre. Faites en sorte que vous acceptez leur droit d'être ce qu'ils sont et de penser ce qu'ils veulent, de la même façon que vous vous attendez à ce qu'ils acceptent la personne que vous êtes et ce que vous dites. Cela semble facile à dire, mais c'est beaucoup plus difficile à faire. Certaines choses que vous entendrez vous choqueront, mais vous avez aussi eu des pensées choquantes quand vous aviez leur âge. Ou même aujourd'hui. Écouter sans faire de sermon ne veut pas dire que vous êtes d'accord. Voilà simplement une façon idéale d'ouvrir une ligne de communication avec une personne en ne s'adressant pas à elle comme à un objet.

3. DITES LA VÉRITÉ. SOYEZ HONNÊTE AVEC EUX

Le sens de la réalité qu'ont vos enfants est sérieusement déformé. Ils éprouvent beaucoup de difficulté à reconnaître la vérité. L'alcoolique actif baigne dans une mer de promesses brisées. Il est sincère lorsqu'il dit qu'il arrivera à temps pour le repas du soir, même s'il est possible que cela ne se produise pas. Cela confond les enfants. L'alcoolique ne ment pas… mais il entre en retard pour le souper. L'enfant entend le non-alcoolique inventer des excuses et il suit cet exemple.

L'enfant, comme tous les membres de la famille, fait de son mieux pour ne pas faire face à la vérité. Mais c'est en étant confronté à la réalité qu'on le ramènera à la santé. Ne plus avoir à cacher de sentiments allègera le fardeau de votre enfant.

Les sentiments ne sont pas *bons* ou *mauvais*. « Il ne devrait pas prendre les choses comme ça » n'est pas une bonne affirmation à entendre ou à dire, puisqu'on ressent ce qu'on ressent. Il existe peut-être certaines façons de ne pas se comporter, mais les sentiments ne comportent aucune dimension de *bon* ou de *mauvais*. Si l'on croit que ce que l'on ressent est mauvais, on se sent coupable et on empire les choses. L'enfant pourrait dire : « Je hais mon père! » Si vous dites : « Tu ne devrais pas haïr ton père, il est malade », vous placez la culpabilité sur les épaules de l'enfant. Quelle personne terrible doit-il être pour haïr un malade! Il est préférable d'explorer les sentiments avec l'enfant. « Je comprends ce que tu veux dire. Parfois, je pense que je le hais aussi, mais c'est vraiment la maladie que je déteste. Ce que je hais réellement, c'est la façon dont la maladie le fait se comporter. » Faites de votre mieux pour clarifier les choses et, ce faisant, vous réussirez à clarifier vos propres pensées.

La colère que vous ressentez est réelle. Mais il n'est pas mieux de céder à la colère qu'à la compassion. Vous pouvez ressentir les deux. Parlez-en franchement. Décidez ce que vous entendez faire à propos de ce problème. Promenez-vous à vélo ou, si la colère continue à vous dominer, frappez un *punching-ball*, ou allez dans un endroit où vous pouvez crier à volonté. Oui, être en colère est acceptable, mais se comporter de façon destructive quand on est dans cet état ne l'est pas.

Je suis plus inquiète par l'enfant qui demeure passif devant une situation qui l'offusque. Je sais que la colère qu'un enfant refoule lui provoquera des problèmes d'estomac, une dépression et toutes sortes d'autres symptômes. Aussi difficile que ce puisse être à accepter, lorsque votre enfant se met à crier, il est préférable pour sa santé de laisser exploser sa colère. Après la crise, vous pouvez vous asseoir et en parler.

Les enfants peuvent aussi s'inquiéter énormément et se sentir impuissants. Ils ne sont pas à l'aise lorsqu'ils se confient à leurs professeurs ou à leurs conseillers. Ils ne veulent pas que les « gens de l'extérieur » connaissent leurs problèmes, si bien que ce qui les dérange demeure emprisonné en eux. Vous pouvez être un refuge. Les inquiétudes, dont on parle ouvertement, semblent plus faciles à gérer.

4. ON DOIT LES ÉDUQUER

Il faut dire à vos enfants tout ce qu'on connaît sur la maladie de l'alcoolisme, leur fournir la littérature, discuter, et répondre à toutes les questions qu'ils poseront. Ils voudront peut-être connaître certaines choses auxquelles vous ne pourrez répondre. « Oui, je comprends, une fois que papa commence à boire, il ne peut s'arrêter, alors pourquoi commence-t-il? » Et lorsqu'on répond : « Il est tellement malade. La dépendance fait partie de sa maladie. » L'enfant ajoute : « Oui, mais... » À ce stade, il n'y a rien de mal à dire : « Je ne comprends pas complètement moi-même. La seule réponse que je connais bien, c'est qu'il est très difficile de ne pas se laisser abattre. J'ai besoin de ton aide afin de m'en souvenir, autant que tu as besoin de mon aide pour t'en souvenir. »

5. Encouragez vos enfants à se joindre à Alateen (pour les Adolescents d'Alcooliques)

Alateen aide à promouvoir l'idée que l'alcoolisme est une maladie et qu'il doit être perçu comme tel. Une fois que vos enfants peuvent accepter le concept de maladie, ils peuvent commencer à développer leur estime de soi.

Étant enfant, on se voit comme les autres nous voient. Les choses terribles que l'alcoolique dit aux enfants affectent la façon dont ils se perçoivent. Bien souvent, les enfants pleurent dans mes bras en disant : « Si je n'étais pas un enfant si pourri, mes parents ne boiraient pas. Tout le monde serait mieux si je mourais. »

Nul ne peut causer l'alcoolisme. Nul ne peut le guérir. L'enfant doit comprendre qu'il ne doit pas permettre à l'alcool de déterminer sa valeur en tant qu'être humain. C'est, également, plus facile à dire qu'à faire. Vous pouvez aider votre enfant par un rappel constant et par votre propre comportement envers lui.

Alateen fait un travail admirable pour inculquer ces principes. Si votre enfant participe aux réunions d'Alateen, il se sentira compris et développera un sens d'appartenance. C'est un endroit où il pourra parler librement de ses problèmes et commencera à se sentir mieux.

6. ABANDONNEZ LE DÉNI

Le déni représente le plus grand allié de l'alcoolisme et l'ennemi le plus redoutable que vous ayez à combattre. La réalité, cependant, est plus facile à traiter que l'inconnu. C'est vrai même avec une maladie aussi insidieuse que l'alcoolisme.

Dites à votre enfant : « Ton père souffre d'une allergie à l'alcool. Ça lui pose des problèmes qu'il ne désire pas et que nous ne désirons pas. Mais nous ne devons jamais oublier que, lorsqu'il fait des mauvaises choses, c'est la maladie qui s'exprime et non lui. Ce sera difficile de t'en rappeler, parce qu'il ressemble toujours à ton père. Si tu oublies, viens me voir pour m'en parler; et si j'oublie, c'est moi qui irai t'en parler. C'est une maladie pour toute la famille, et nous nous sentirons mieux en tant que famille unie. »

7. NE PROTÉGEZ PAS VOS ENFANTS EN LEUR CACHANT LES RAVAGES DE L'ALCOOLISME

Si la personne alcoolique détruit des choses dans la maison, il est préférable qu'elle se rende compte de la destruction qu'elle sème autour d'elle. Malheureusement, les enfants seront aussi témoins de la scène. Dites : « Ça me fait de la peine que tu sois obligé de voir cela, mais ta mère doit savoir ce qui s'est produit ou elle ne s'en rappellera pas. » Protéger vos enfants les rend faibles et confus. Ils savent que quelque chose de mal s'est passé, alors pourquoi laisser libre cours à leur imagination qui n'aura pour effet que d'empirer les choses, quelle que soit l'étendue du dommage. On ne peut pas nier la réalité. Gaspiller son énergie à nier ce qui est réel, c'est retirer cette énergie d'autres facteurs qui peuvent être plus bénéfiques — comme la guérison.

8. N'ayez pas peur de témoigner de l'affection à vos enfants

On ne peut jamais donner trop d'amour à un enfant. Par contre, céder devant tous ses caprices afin de compenser pour les difficultés dans sa vie, ce n'est pas de l'amour. Dire à un enfant que vous l'aimez, le cajoler, l'embrasser, lui laisser savoir combien vous êtes chanceux de l'avoir, est de l'amour, et il a besoin d'entendre ces paroles. Lui dire qu'il sait que vous l'aimez n'est pas plus suffisant pour lui que ce ne l'est pour vous. L'enfant a besoin de l'entendre, comme vous avez besoin de l'entendre. Cela ne veut pas dire que tout ce qu'il fait ou dit est aimable; mais, comme être humain, il est aimable. « J'aime ce que tu es même si je n'aime pas tout ton comportement, mais je ne t'aime pas moins pour autant. » Ce message doit être clair. Il en est de même pour l'alcoolique. On peut l'aimer et détester sa maladie. Une chose n'a rien à voir avec l'autre. Certains comportements sont acceptables... certains ne le sont pas.

9. Il est important pour les enfants d'avoir des frontières clairement définies

Enseignez-leur que le dîner est servi à heure fixe, que les travaux scolaires doivent être exécutés à une heure prédéterminée, que le coucher est prévu à une heure prédéterminée. Il faut leur donner des paramètres autour desquels ils peuvent structurer leur vie. Leur vie familiale doit être réglée, puisque l'instabilité désoriente les enfants à tel point qu'ils perdent leur sens du Moi. Nul ne peut se sentir bien dans sa peau sans savoir ce qui se passe d'un jour à l'autre. Son équilibre devient trop précaire. On doit offrir à l'enfant une vie bien ordonnée avec des règles raisonnables et insister pour qu'elles soient suivies. Les enfants testent les frontières, simplement pour découvrir si vous avez de la suite dans les idées. Si la règle est juste, c'est peu important que l'enfant l'aime ou non. Ça ne l'empêchera aucunement d'être reconnaissant et de se sentir en sécurité en raison de ces règles. On doit se sentir en sécurité afin d'améliorer son jugement sur soi-même. Vous pouvez y contribuer beaucoup.

10. LES ENFANTS ONT BESOIN DE PRENDRE LA RESPONSABILITÉ DE LEURS COMPORTEMENTS

Si votre enfant brise une fenêtre, laissez-lui le problème de figurer comment la remplacer. Ses fautes sont les siennes et ses succès sont les siens. S'il arrive en retard pour le dîner, c'est son problème — non le vôtre. Apprendre à traiter les difficultés fait partie de la construction de l'estime de soi. Cela veut dire qu'il a un certain contrôle sur son environnement. Lorsque votre enfant a un problème, laissez-lui penser aux alternatives, sans toujours lui fournir les réponses.

Les enfants d'alcooliques se sentent impuissants, et leur vie est affectée par l'alcoolisme. Ils ont besoin de se prendre en main. On doit les encourager à tenter d'accomplir de nouvelles choses. Le succès est moins important que les tentatives d'accomplissement. Bien que l'on ne puisse faillir si l'on ne tente rien, on ne peut réussir non plus. Tout succès, quelle qu'en soit l'ampleur, mérite d'être encouragé.

Songez aux choses qui vous rendent plus digne. Offrez ces mêmes choses à vos enfants. Sans travail acharné, l'estime de soi ne change pas en grandissant. Attaquez le problème en famille. Vous avez souffert en famille, divisée par l'alcool — reprenez le dessus en famille, unie à cause de l'alcoolisme.

Aussi étrange que cela puisse sembler, la terrible maladie qui a frappé votre famille peut servir contre l'alcoolisme. À cause de l'alcoolisme, vous êtes devenu conscient de vous-même et de votre besoin d'être une famille pleinement fonctionnelle. Profitez-en. La puissance de la croissance personnelle — la valeur personnelle accrue — annihile l'alcoolisme. Vos enfants seront plus forts parce qu'ils auront traité avec la réalité. Ils seront moins vulnérables parce qu'ils auront connu la douleur et y auront fait face.

Nous grandissons à partir des défis dans notre vie, à partir des moments difficiles, et non à partir des bons moments. Comme famille, on peut se réaliser plus que si l'on n'avait jamais eu l'occasion de se voir comme on est. Aider vos enfants à accroître leur estime de soi vous aidera à augmenter le vôtre. Et en améliorant votre propre estime, vous aiderez votre enfant. Cette fois, la barque se dirige en eaux calmes. Lentement mais sûrement, le courant s'inverse. Vous avez le vent dans les voiles et vous êtes à la barre. **VOUS EN VALEZ LA PEINE!**

✦ Conclusion ✦

Voici trois énoncés dans le domaine de l'alcoolisme sur lesquels tous semblent d'accord :

1. *L'alcoolisme est un problème de famille.* On voit rarement un cas isolé. Quelqu'un d'autre dans la famille a déjà souffert ou souffre de cette maladie.

2. *Les enfants d'alcooliques courent un plus grand risque de développer l'alcoolisme que les enfants dans la population en général.* Il peut y avoir des discussions sur l'environnement ou les gènes, ou une combinaison des deux, mais la vérité de l'énoncé n'a jamais été mise en doute.

3. *Les enfants d'alcooliques sont portés à marier des alcooliques.* Ils s'engagent rarement dans le mariage en le sachant, mais on voit ce phénomène se produire maintes et maintes fois.

Ces trois points démontrent les liens indéniables entre tous les aspects de la maladie familiale que l'on appelle *l'alcoolisme.* Les caractéristiques de l'alcoolique et les réactions de la famille, comme je l'ai indiqué dans *Marriage on the Rocks* (Mariage au bord de la rupture), influencent nettement les variables qui se rapportent aux enfants d'alcooliques rendus à l'âge adulte, traitées dans le présent ouvrage.

Dans *Marriage on the Rocks*, je parle des traits de caractère qui prévalent chez les alcooliques tels que (a) dépendance excessive; (b) incapacité d'exprimer des émotions; (c) seuil inférieur de tolérance à la frustration; (d) immaturité émotionnelle; (e) niveau élevé d'anxiété dans les relations interpersonnelles; (f) degré inférieur d'estime de soi; (g) grandeur d'âme; (h) sentiments d'isolement; (i) perfectionnisme; (j) ambivalence envers l'autorité; et (k) culpabilité.

La famille (les proches parents) réagit avec (a) le déni; (b) le culte de la protection, la pitié en s'occupant du buveur; (c) la gêne, l'éloignement des occasions de boire; (d) le volte-face dans les relations pour dominer, la prise de contrôle, les activités égocentriques; (e) la culpabilité; (f) l'obsession, l'inquiétude continuelle; (g) la crainte; (h) le mensonge; (i) le faux espoir, le désappointement, l'euphorie; (j) la confusion; (k) les problèmes sexuels; (l) la colère; (m) la léthargie, le désespoir, l'apitoiement sur soi, les remords, le désespoir.

En jetant un dernier coup d'œil aux caractéristiques qui prédominent chez l'enfant-adulte d'un alcoolique, il n'est pas difficile de déceler des liens entre ces caractéristiques et ce qu'il vit comme enfant à la fois avec un parent alcoolique et avec les proches parents d'un alcoolique. Les traits de caractère énoncés, les plus répandus chez un parent alcoolique (A) et chez les proches parents d'un alcoolique (PA) contribuent, en partie, à chacune des caractéristiques de l'enfant-adulte. Vous voudrez peut-être ajouter des éléments à cette liste, ou la modifier. Les perceptions peuvent varier; mais en dépit des différences, les rapports sont évidents.

LÉGENDE
DES TRAITS DE CARACTÈRE CHEZ

L'alcoolique (A)

a.   dépendance excessive

b.   incapacité d'exprimer des émotions

c.   seuil inférieur de tolérance à la frustration

d.   immaturité émotionnelle

e.   niveau élevé d'anxiété dans les relations inter-personnelles

f.   degré inférieur d'estime de soi

g.   grandeur d'âme

h.   sentiments d'isolement

i.   perfectionnisme

j.   ambivalence envers l'autorité

k.   culpabilité

Les proches parents de l'alcoolique (PA)

aa.   déni

bb.   culte de la protection, pitié en s'occupant du buveur

cc.   gêne, éloignement des occasions de boire

dd. *volte-face dans les relations pour dominer, prise de contrôle, activités égocentriques*

ee. *culpabilité*

ff. *obsession, inquiétude continuelle*

gg. *crainte*

hh. *mensonge*

ii. *faux espoir, désappointement, euphorie*

jj. *confusion*

kk. *problèmes sexuels*

ll. *colère*

mm. *léthargie, désespoir, apitoiement sur soi, remords, désespoir*

Caractéristiques

1. *Les enfants-adultes d'alcooliques se posent des questions sur ce qui est normal.*
   A = b, g, j; PA = aa, dd, hh, ii, jj

2. *Ils éprouvent des difficultés à poursuivre un projet du début à la fin.*
   A = c, f, i; PA = ff, jj, mm

3. *Ils mentent alors qu'il serait tout aussi facile de dire la vérité.*
   A = g, i. j; PA = aa, ee, hh, ii, jj

4. *Ils se jugent sévèrement.*
   A = i, j, k; PA = ee

5. *Ils ont du mal à s'amuser.*
   A = tout; PA = tout

6. *Ils se prennent très au sérieux.*
   A = e, f, j, k; PA = tout

7. *Ils ont beaucoup de difficulté dans leurs relations amoureuses.*
   A = a, b, c, d, e, k; PA = aa, dd, jj, kk, ll

8. *Ils réagissent avec excès devant tout changement qu'ils ne peuvent contrôler.*
   A = c, i; PA = dd

9. *Ils cherchent constamment l'approbation et l'affirmation.*
   A = a, d, f, i, j; PA = ff, gg

10. *Ils pensent qu'ils sont différents des autres.*
    A = e, f, h; PA = cc, jj

11. *Ils sont démesurément responsables ou très irresponsables.*
    A = tout; PA = tout

12. *Ils sont extrêmement loyaux, même lorsqu'une telle manifestation de loyauté n'est pas méritée.*
    A = a; PA = aa, bb, gg, ii

13. *Ils agissent impulsivement. Ils ont tendance à s'emprisonner dans une voie sans prendre sérieusement en considération les comportements alternatifs ou les conséquences possibles. Cette impulsivité mène à la confusion, au dégoût de soi et à la perte de contrôle sur leur environnement social. Conséquemment, ils consacrent une quantité excessive d'énergie à réparer les dégâts.*
    A = c, d, g, j; PA = ii, jj, ll

Voilà qui démontre très clairement comment les enfants-adultes de parents alcooliques sont les produits de leur environnement. Il est heureux que nous connaissions l'environnement familial de l'alcoolique parce qu'il nous offre des réponses aux questions qu'on ne comprendrait peut-être pas autrement. Si la connaissance représente la liberté, et je crois que c'est le cas, en sachant ce qui s'est produit et ce que l'on peut en tirer, cela constitue un outil important pour comprendre ce que vous êtes et pourquoi. Les conjectures et l'imprécis se dissipent, les accusations contre soi perdent leur puissance et vous devenez libre d'œuvrer dans la voie que vous avez choisie. Vous n'êtes plus victime. Vous êtes au centre de votre propre univers. Quel merveilleux endroit où se retrouver.

Lorsque vous commencez à vous sentir *tiraillé* ou *mû comme par une obsession*, vous devez explorer ces sentiments sans les juger, et les laisser aller afin de maintenir votre sérénité et contrôler le courant de votre vie.

Le processus de la vie est une grande aventure qui comprend des torsions, des détours et des passages nécessaires. Vous êtes au centre, mais vous laissez la vie suivre son cours normal. Voilà une attitude paisible et sereine, comme celle chez les Alcooliques Anonymes avec leurs slogans : « Agir aisément », « Un jour à la fois » et « Lâcher prise et s'en remettre à Dieu ».

La vie est un processus continu. Si on est au centre, si on est en contrôle de ses émotions, de ses pensées et de ses désirs, on voyage dans la vie en empruntant bon nombre de petits sentiers, et on vit chaque phase pleinement et complètement. Lorsqu'on est au centre de sa vie, on n'est pas écartelé ni ballotté par ses propres impulsions ou par les désirs des autres. Lorsqu'on est au centre de sa vie, on acquiert un sentiment de sérénité, une dimension de confort véritable à l'intérieur de soi.

Le présent ouvrage vise cet objectif. Il offre la connaissance qui permet de découvrir où vous étiez et où vous êtes maintenant. Il place aujourd'hui et demain solidement entre vos mains. Les choix sont vôtres, quels qu'ils soient. **Vous** êtes responsable de **vous**, et c'est ce qui importe vraiment.

◆ Annexe ◆

Conseils
sur le rétablissement

Il est important de préciser la signification du rétablissement pour un enfant d'alcoolique rendu à l'âge adulte. L'alcoolisme est une maladie et les gens qui s'en rétablissent se rétablissent d'une maladie. Le modèle médical est accepté par tous les intervenants responsables associés au traitement de l'alcoolisme.

Être l'enfant d'un alcoolique n'est pas une maladie. C'est une réalité dans votre vie. En raison de la nature de cette maladie et des réactions de la famille, des faits se produisent et influencent vos sentiments personnels, vos attitudes et vos comportements de sorte que ces faits vous blessent et vous causent des soucis. L'objectif du rétablissement pour un enfant-adulte d'alcoolique (EADA) est de surmonter ces éléments dans votre vécu, qui vous créent des difficultés aujourd'hui, et d'apprendre une meilleure façon de vivre.

Nous sommes tous jusqu'à un certain point en rétablissement, d'une façon ou d'une autre, puisque très peu d'entre nous ont bénéficié d'une enfance idéale. C'est peut-être même le cas pour ceux qui ont vécu une enfance exemplaire. Comme il existe tant de familles d'alcooliques et comme nous avons eu la chance d'étudier leur évolution, il est possible de décrire, en termes généraux, ce qui se produit chez les enfants qui ont grandi dans cet environnement.

Jusqu'à un certain point, d'autres familles partagent des dynamiques similaires à celles que nous venons d'exprimer, et les personnes qui ont grandi dans un autre type de milieu *dysfonctionnel* s'y identifient et se rétablissent de la même façon.

CONSEILS SUR LE RÉTABLISSEMENT POUR LES ENFANTS-ADULTES

La lecture du livre *Enfants-adultes d'alcooliques* représente la première étape vers le rétablissement. Cette section répond aux questions : « À quoi s'attendre maintenant? » et « Comment puis-je protéger la qualité de mon rétablissement? »

Pour ceux qui se rétablissent d'une dépendance à l'alcool ou à une drogue

Si vous êtes en rétablissement depuis un an ou plus, vous êtes maintenant prêt à procéder à l'étape suivante. Bon nombre de gens qui réussissent bien leur abstinence ont la sensation qu'il leur manque quelque chose. En examinant les façons dont votre passé entre en conflit avec votre présent et en comblant les vides, vous parviendrez à accroître la qualité de votre sobriété.

Si vous êtes en rétablissement depuis moins d'un an, accordez-vous le reste de l'année pour vous concentrer sur votre abstinence — ce doit être votre plus grande priorité. Il sera toujours temps de passer à d'autres choses ensuite, mais « l'important d'abord »... et la sobriété passe avant tout.

DANS LE CAS D'UNE RECHUTE OU D'UNE IMPOSSIBILITÉ D'ACCUMULER 90 JOURS CONSÉCUTIFS D'ABSTINENCE

Bon nombre de personnes se rendent compte qu'elles sont incapables de maintenir leur abstinence parce qu'elles utilisent la substance pour éloigner la douleur de leur secret. À ces gens, je dis : « Vous êtes aussi malades que vos secrets », et c'est une expression imbue de bon sens. En conservant ses secrets, on demeure accroché. Dans la famille d'un alcoolique, on crée un système rempli de secrets. Si c'est votre cas, il se peut que vous soyez obligé de solliciter d'abord l'aide d'un professionnel qui comprend l'abus de substance et comprend l'état d'esprit d'un EADA. Le but de cette démarche est d'exposer votre secret — ne serait-ce qu'à vous-même et à votre thérapeute — et de drainer le poison hors de votre plaie. (Certaines personnes peuvent utiliser favorablement la Cinquième Étape des AA pour y arriver, mais elle ne fonctionne pas pour tous.)

La plupart des secrets, quant à moi, se rapportent à la honte. Bon nombre d'hommes et de femmes ont subi des abus sexuels ou ont été incapables de freiner l'abus chez les membres de leur propre famille. D'autres sont gais ou lesbiennes et, en raison de liens parentaux et d'attitudes religieuses ou sociales, ils croient que ce n'est pas une façon d'être qui est acceptable.

Une fois que le secret est exposé, quel qu'il soit, et que son poids ne se manifeste plus, votre prochain objectif est de vous tenir propre ou abstinent, et de maintenir cette règle pendant un an. Alors, ce sera le moment de passer à l'étape suivante.

Pour ceux qui se rétablissent d'une dépendance qui n'est pas reliée à l'alcool ou à la drogue, comme le jeu, la nourriture ou le sexe, il est possible de combiner le programme de rétablissement Douze Étapes avec celui des EADA.

Tout programme de rétablissement devrait bien fonctionner parallèlement à celui des EADA. Sinon, il vous faut découvrir ce qui se passe. Lisez la brochure « Guidelines for Self-Help Groups » (Guide pour les groupes d'entraide).

Pour toute personne qui n'est pas en cours de rétablissement d'une dépendance

Allez d'abord aux réunions Al-Anon. Apprenez les principes du programme Douze Étapes et voyez comment vous pouvez travailler par étape. Les groupes d'entraide EADA ne suivent pas tous cette méthode, mais puisque plusieurs de leurs membres se joignent à d'autres programmes similaires, on suit les principes et on utilise le même langage.

Pour tous

Toutes les personnes, en cours de rétablissement dans un groupe EADA, doivent comprendre le principe Al-Anon du *détachement*, qu'elles soient ou non en cours de rétablissement ou qu'elles vivent avec une personne dépendante. Le détachement est la clé si vous voulez aller plus loin. En raison de la nature inconstante de l'éducation qu'un enfant reçoit dans une famille alcoolique et du besoin d'éducation de l'enfant, bon nombre d'entre vous demeurent soudés à leurs parents. Même si vous n'habitez plus avec eux, vous continuez à chercher leur approbation et à être fortement influencé par leurs attitudes et leurs comportements. Vous devez apprendre à vous séparer d'eux — à devenir autonome — de façon à ne pas ajouter à votre stress. Voilà un des objectifs primordiaux du programme Al-Anon.

Une fois que vous avez appris à vous détacher (ce qui prend de six mois à un an), vous serez prêt à vous joindre à un groupe d'entraide EADA. Il faut vous rappeler que l'objectif d'un groupe de soutien est de partager l'expérience, la force et l'espoir. Bon nombre de ces groupes y parviennent très bien. En s'identifiant et en donnant l'exemple, les membres apprennent à faire des choix judicieux.

Si le groupe, auquel vous vous êtes joint, agit comme nous venons de le voir — c'est magnifique. En revanche, s'il consacre son temps à partager des histoires tragiques, en jetant le blâme sur les parents, je vous avertis : « Ce n'est peut-être pas le bon endroit pour vous. » Vivre dans le passé et blâmer les parents sont des façons d'éviter de vivre le présent et de prendre la responsabilité de votre propre comportement. C'est une excellente façon de rester accroché.

Cela ne veut pas dire que votre vie n'a pas été une tragédie et que vos parents n'ont pas fait des fautes terribles. Cela veut plutôt dire que vous êtes *maintenant* un adulte : vous créez votre propre tragédie et devez être responsable de votre comportement. Vous êtes aussi la seule personne qui puisse vous apporter un sentiment de bien-être.

Parler de son passé est approprié au moment d'une réunion de débutants ou avec un professionnel, mais non dans une réunion régulière. Les gens en cours de rétablissement d'une dépendance doivent se souvenir de leur passé, mais ceux qui sont en cours de rétablissement à cause du comportement des autres ne partagent pas le même intérêt. Ils ont plutôt besoin de changer leur réaction devant le comportement des autres, et la meilleure façon de faire est de focaliser son attention sur le présent.

Ce que l'on apprend à propos de soi-même en grandissant devient partie intégrante de ce que l'on est et de ce que l'on ressent à propos de soi-même. Nul ne peut changer ce fait… sauf soi-même. Vos parents, même s'ils se rétablissent et vous traitent différemment, ne peuvent réparer ce qui provoque en vous une sensation de malaise. Vous pouvez maintenant avoir une nouvelle et saine relation avec eux, mais aucune amende honorable de la part de vos parents ne peut réparer le passé. Voilà pourquoi revivre constamment leur participation dans votre douleur ne contribue en rien à l'éliminer et à l'oublier. Vos difficultés présentes sont vos problèmes. Focaliser votre attention ailleurs que sur vous-même ne fait que retarder votre rétablissement.

Des émotions qui ont été refoulées pendant des années et des années remonteront à la surface. C'est la raison pour laquelle on suggère, dans le cas d'un rétablissement d'une dépendance, que vous vous intéressiez avant tout à cette dimension de sorte que vous ne serez pas tenté de soulager ces sentiments par des moyens destructeurs. Vous traverserez une série d'émotions puissantes en cours de rétablissement. Cela fait partie du processus.

Les gens ne traversent pas les étapes du processus dans le même ordre et plusieurs d'entre vous peuvent bloquer certains de leurs sentiments. Il n'existe aucune *bonne* façon. Je vous informe tout simplement du processus parce que ces sentiments peuvent remonter à la surface sans que vous vous en rendiez compte, et créer chez vous une certaine crainte. En fait, ils referont surface plusieurs fois avec chaque nouvelle découverte. Le processus de rétablissement est différent pour chacun. Vous êtes la seule personne à pouvoir déterminer le cheminement qui fonctionne le mieux pour vous.

Votre réaction immédiate en lisant ce livre peut être :

1. **Soulagement**. La réalisation que vous n'êtes pas seul et que vous ne souffrez pas de folie contribuera à votre liberté. Il se peut que ce soit pour vous un événement qui changera le cours de votre vie.

2. **Douleur**. La prise de conscience de l'énormité de votre souffrance et de votre impuissance peut vous écraser en réalisant que vous avez vécu un mensonge. Il se peut que ce soit similaire à la douleur extraordinaire que vous ressentiez comme enfant, avant que vous ayez appris à engourdir vos sentiments.

3. **Colère**. Il n'est pas exceptionnel de voir toute la colère que vous avez maîtrisée pendant toutes ces années se mettre à jaillir à la surface au point que vous deveniez effrayé par votre propre rage.

4. **Chagrin**. Les pertes que vous avez vécues doivent être pleurées et vous ressentirez ce niveau de douleur. Vous aurez peut-être la sensation que, si vous commencez à pleurer, vous ne pourrez plus vous arrêter.

5. **Joie**. En traversant les différentes étapes du processus, vous ressentirez éventuellement une liberté que vous n'avez jamais connue auparavant. Maintenant que vous êtes un adulte, vous pouvez devenir l'enfant que vous n'avez jamais été au début de votre vie.

Pour certains d'entre vous, la lecture de livres et la participation à des groupes d'entraide peuvent être suffisantes. D'autres auront besoin d'outils additionnels pour contrôler ces sentiments et commencer une nouvelle vie.

Certains trouveront utile d'avoir des consultations. Le conseiller agit comme moniteur et vous aide à découvrir la meilleure façon de vivre dans le *ici* et *maintenant*. Vous aurez à prendre des décisions difficiles, mais nécessaires quant aux diverses possibilités qui vous sont offertes. Une personne non impliquée dans le dénouement et formée pour venir en aide aux autres peut s'avérer bienfaisante.

Certaines personnes peuvent avoir vécu un traumatisme qui bloque leur progrès. Elles peuvent utiliser l'assistance d'un thérapeute afin de scruter leur vie avec attention pour comprendre et analyser le passé, et mettre en valeur les ressources présentes.

D'autres pourront s'inscrire dans une thérapie de groupe. Les groupes d'entraide facilitent la croissance personnelle, mais ne focalisent pas l'attention sur l'interaction. Une thérapie dans un groupe de soutien peut vous aider à comprendre et à modifier votre comportement et vos réactions envers les autres dans un contexte interactif, c'est-à-dire que tous les participants partageront leurs réponses de façon profitable. Dans le cas d'une consultation de personne à personne, le professionnel ne connaît que ce que vous lui dites; il ne fonde donc son analyse que sous cet angle. La relation de personne à personne n'indique aucunement comment vous vous comportez avec les autres. Dans une thérapie de groupe, il se peut que vous vous présentiez devant les autres avec une attitude contradictoire par rapport à vos sentiments personnels. En vous rendant compte de ces différences et en apportant les changements qui s'imposent, vous pourrez grandement améliorer votre rétablissement.

CHOIX D'UN THÉRAPEUTE

Si vous choisissez un thérapeute, voici quelques points à retenir. Le thérapeute :

1. doit avoir une connaissance des dépendances;

2. doit avoir une compréhension des programmes d'efforts personnels;

3. doit comprendre le sentiment d'être un EADA ou d'avoir vécu dans une famille dysfonctionnelle, *sans* nécessairement provenir d'un tel milieu;

4. doit posséder au moins un diplôme de maîtrise en consultation thérapeutique, en travail social ou en psychologie;

5. doit être disposé à répondre à vos questions;

6. *ne doit pas* révéler sa propre vie — les parrains racontent leur vie;

7. peut être amical sans être un ami.

Vous pouvez voir plusieurs thérapeutes. Vous n'êtes pas obligé de continuer à consulter le premier choisi. Vous devez payer les honoraires pour la consultation mais, si vous ne semblez pas à l'aise en sa présence, changez de thérapeute. Si, au moment de votre choix, aucun thérapeute ne répond à vos attentes ni aux critères précités, vous n'êtes peut-être pas aussi prêt que vous le pensiez.

À un moment donné, au cours de votre processus de rétablissement, il sera important de prévoir une réconciliation avec votre côté spirituel. Il existe en vous certains points vides et certains points douloureux, qui ne peuvent être comblés que par une relation spirituelle. Cela arrivera en temps et lieu pour vous.

Personnes en cours de rétablissement... Attention!

1. Le processus de rétablissement chez les enfants-adultes est très perturbateur. Il touche la façon dont vous vous êtes perçu vous-même et dont vous avez perçu le monde jusqu'à ce jour. C'est beaucoup. En comparaison, « ne pas boire et aller aux assemblées » semble être du gâteau — et vous savez que c'est loin d'être facile. Le volcan, une fois en éruption, ne peut

retourner avec ordre dans son cône. Ne soyez donc pas surpris si vous avez la sensation de ne plus appartenir à la même coquille humaine — c'est normal.

2. Souvenez-vous que votre besoin de sauver tous les autres de leur ignorance vous conduira à leur dire non seulement : « Il y a mieux », mais aussi : « Tourne complètement ta vie à l'envers. » C'est beaucoup demander à une autre personne. Donc, si vous choisissez de le faire, demandez-vous :

    • Suis-je préparé à être là pour cette personne tout au long de ce processus?

    • Suis-je disposé à accepter que cette personne fasse le choix de ne pas changer?

    Si vous ne le pouvez pas, vous êtes peut-être mieux d'attendre que les autres viennent à vous.

3. Si vous ne vivez pas une relation amoureuse, essayez de vous en abstenir jusqu'à ce que vous ayez solutionné certains de vos problèmes. Sinon, vous ne feriez que répéter vos vieilles erreurs et compliquer les choses. Vous ne serez plus la même personne après un an en cours de rétablissement et vos choix seront différents.

4. Si vous vivez présentement une relation, tenez l'autre au courant de votre transformation. Demandez-lui de lire ce livre et *The Intimacy Struggle* (Lutte pour la vie intime). Encouragez l'autre à s'impliquer dans le processus avec vous. Si vous vous êtes empêtré dans une situation et êtes maintenant à essayer de redevenir vous-même, tenez compte du fait que votre démarche constitue un changement, non seulement

pour vous, mais aussi pour les autres dans votre entourage. Il se peut qu'ils ne réagissent pas de façon favorable. Souvenez-vous que, si vous changez les règles et êtes dans une relation, les deux personnes devront être impliquées dans le changement, sinon la relation deviendra dysfonctionnelle, indépendamment que vous sachiez ou non que c'est « la meilleure chose pour vous deux ».

5. Si vous avez été négligent comme parent et vous rendez compte maintenant que vous pouvez perpétuer le cycle, votre vigilance soudaine pourrait ne pas être bien reçue.

6. La lecture de matériel et les *talk shows* ajouteront à vos connaissances et peuvent vous apporter de la perspicacité. Bien que les livres et les médias puissent avoir une certaine valeur thérapeutique, ils ne sont pas équivalents à une thérapie. La bonne sensation provenant du fait de s'être identifié à quelque chose n'opère jamais un changement durable.

Les EADA sont des créatures excessives. « Rien de ce qui mérite d'être fait ne doit se faire avec modération. » Voici ce que je leur suggère de ne pas oublier : le rétablissement est un lent processus. Il doit en être ainsi, sinon ce *n'est pas* du rétablissement. Il se peut que vous fassiez des progrès rapides, néanmoins, vous devrez consacrer de longs moments avant que la croissance ne soit complètement acquise.

Se rétablir, c'est se découvrir

On ne doit pas oublier que le rétablissement n'est pas un processus qui a échoué si quelque chose, que vous croyiez avoir résolu, refait surface sous une autre forme. Le problème peut se situer maintenant à un niveau plus profond. Vous n'avez pas failli à la tâche, même si vous traversez une période de stress et même si vous retournez à d'anciens comportements.

Le rétablissement, comme on dit, s'accomplit
un jour à la fois.

J'ai découvert mon enfant intérieur aujourd'hui;
depuis tant d'années, dans un coin blotti.

M'aimant, m'enlaçant — avec un besoin illimité,
si seulement je pouvais le rejoindre et le toucher.

Je n'avais jamais connu cet enfant —
ne l'ayant jamais croisé à trois ou neuf ans.

Mais aujourd'hui, à l'intérieur, je l'entends pleurer.
Je suis ici, criai-je, viens m'habiter.

Nous nous sommes étreints pendant des heures
en laissant émerger douleur et peur.

Ça va, je pleure, je t'aime tant!
Tu es précieux pour moi, je veux que tu le saches.

Mon enfant, tu es maintenant en sécurité.
Tu ne seras pas abandonné, je suis ici pour rester.

Nous rions, pleurons, en nous découvrant —
cet enfant généreux, aimant, est mon rétablissement.

— Kathleen Algoe, 1989

CARACTÈRE DÉPENDANT

Pour mieux comprendre la dynamique de la dépendance et les compulsions

Cet ouvrage décrit de manière saisissante le processus de la dépendance. L'auteur fait état des plus récentes informations sur la recouvrance, sur les liens possibles entre la dépendance et la génétique, sur les problèmes de santé mentale que peut occasionner cette maladie et, enfin, sur les résultats de nouvelles recherches.

AUTEUR : CRAIG NAKKEN
TRADUCTRICE : SUZIE ROCHEFORT
FORMAT : 14 X 21,5 CM - 224 PAGES - ISBN : 2-89092- 258-8

LA CONFUSION...
UN ÉTAT DE GRÂCE!

Humour et sagesse pour les familles en rétablissement

Barbara F. a recueilli et écrit près de 500 slogans et aphorismes fondamentaux entendus dans des centaines de réunions des Al-Anon et autres groupes Douze Étapes.
Ces perles de sagesse illustrent l'humour nécessaire pour se détacher des problèmes des autres, pour vivre avec confiance et pour apprendre à mieux s'estimer.
Ce livre réconfortera les familles en rétablissement.

AUTEUR : ÉCRIT ET RECUEILLI PAR BARBARA F.
FORMAT : 16,5 X 11,5 CM - 192 PAGES - ISBN : 2-89092-207-3

AGIR AVEC SON COEUR
Prendre soin de soi, quoi qu'il advienne

Empreint de compassion et de compréhension de soi, cet ouvrage évoque les leçons apprises par l'auteure et montre au lecteur que, malgré les revers, le rétablissement est une occaison de croissance spirituelle qui dure toute une vie.

Melody Beattie fait appel à la sagesse de la guérison par les Douze Étapes, le christianisme et les religions orientales.

AUTEURE : MELODY BEATTIE
TRADUCTEURS : FERNAND A. LECLERC ET LISE B. PAYETTE
FORMAT : 15 x 23 CM - 360 PAGES - ISBN : 2-89092-271-5

SAVOIR LÂCHER PRISE
Méditations quotidiennes

L'auteure nous rappelle que les problèmes sont faits pour être résolus et la meilleure chose que nous puissions faire est d'assumer la responsabilité de notre souffrance et de notre préoccupation de soi.
Elle nous guide en nous rappelant que chaque jour est une occasion de croissance et de renouveau.

AUTEURE : MELODY BEATTIE
TRADUCTRICE : CLAUDE STEIN
FORMAT : 14 x 21,5 CM - 416 PAGES - ISBN : 2-89092-195-6

J'AI FERMÉ LES YEUX

*Révélations d'une femme battue
par son mari*

« En racontant sa bouleversante histoire personnelle, l'auteure démontre que toutes les
femmes ont finalement le pouvoir de transformer leur rôle de victime en celui
d'héroïne. Je louange son courage. »

Gail Blanke, auteure

Reconstruire sa vie après avoir été violentée par son mari.

AUTEURE : MICHELE WELDON
TRADUCTEURS : FERNAND A. LECLERC ET LISE B. PAYETTE
FORMAT : 15 X 22,5 CM - 288 PAGES - ISBN : 2-89092-280-4

PIERRES DE TOUCHE

*Méditations quotidiennes
à l'intention des hommes*

Ces textes de méditation explorent les différents rôles masculins, ceux d'amant ou
d'époux, ceux de père ou d'ami.
Chaque texte, sur des sujets comme les rapports intimes, la solitude ou la spiritualité, est
précédé d'une citation d'auteurs connus et suivi d'une pensée
du jour qui vise « ... à vous insuffler la force de poursuivre
votre cheminement ».

AUTEUR : ANONYME
TRADUCTEURS : ANNIE DESBIENS ET MIVILLE BOUDREAULT
FORMAT : 14 X 21,5 CM - 328 PAGES - ISBN : 2-89092-226-X

L'INSATISFACTION
CHRONIQUE
Qu'est-ce qui m'empêche
de me sentir bien?

L'insatisfaction chronique a peu de rapport avec ce que l'on est ou n'est pas, ni avec ce que l'on a ou n'a pas. Elle a des racines plus profondes qu'il faut reconnaître et déterrer afin de pouvoir s'en débarasser. Les auteurs ont mis au point des méthodes qui permettent d'en finir avec le besoin vital sous-jacent.

AUTEURS : LAURIE ASHNER ET MITCH MEYERSON
TRADUCTEUR : LARRY COHEN
FORMAT : 15 X 23 CM - 304 PAGES - ISBN : 2-89092-261-8

FRONTIÈRES HUMAINES
Délimiter son espace vital

Les frontières aident à mettre de l'ordre dans notre vie. Elles renforcent les liens que nous entretenons avec nous-mêmes et avec autrui.

Cet ouvrage illustre les effets destructeurs que subissent ceux qui ne savent pas affirmer leurs limites et montre les avantages que l'on trouve à protéger ses propres frontières et à respecter celles d'autrui.

AUTEURE : ANNE KATHERINE, M.A.
TRADUCTRICE : SUZIE ROCHEFORT
FORMAT : 14 X 21,5 CM - 288 PAGES - ISBN : 2-89092-249-9

LA VÉRITÉ

SUR LA MARIJUANA

***Dix accros de la mari
parlent de leur vécu***

Cet ouvrage lève le voile sur les dommages que l'usage de cette drogue risque de causer à ceux et celles qui en font usage.
L'auteure note: « Ce sont des années entières de leur vie que gaspillent les accros de marijuana, sans compter toutes les souffrances à long terme, (...), qu'elle occasionne. »

AUTEURE : JOANNE BAUM, PH.D
TRADUCTRICE : SUZIE ROCHEFORT
FORMAT : 14 X 21,5 CM - 288 PAGES - ISBN : 2-89092-272-3

LA COLÈRE ET VOUS

Un guide pour mieux composer avec les émotions issues de l'abus de substances

Cette édition sur la nature et la gestion de la colère enseigne aux lecteurs comment travailler sur la colère d'une façon positive et efficace. Cette approche rend plus facile les problèmes et les défis plutôt que de les exacerber.

AUTEURS : GAYLE ROSELLINI ET MARK WORDEN
TRADUCTRICE : SUZIE ROCHEFORT
FORMAT : 14 X 21,5 CM - 224 PAGES - ISBN : 2-89092-244-8

CHOISIR
D'ÊTRE HEUREUX
L'art de vivre sans réserve

L'auteure vous aide à choisir le bonheur et à voir avec votre *esprit* aimant plutôt qu'avec votre *ego* défensif.
Vous découvrirez de nouveaux moyens de regarder des situations passées et des moyens positifs de changer les choses que vous pouvez changer.

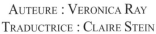

AUTEURE : VERONICA RAY
TRADUCTRICE : CLAIRE STEIN
FORMAT : 14 X 21,5 CM - 312 PAGES - ISBN : 2-89092-223-5

APPRIVOISER SA HONTE
Pour retrouver un sentiment juste de soi-même

Les auteurs nous font explorer les faces cachées de la honte et nous montrent son côté sain.
Ce livre sera un bon guide pour ceux qui veulent se libérer de divers comportements compulsifs, de dépendances chimiques, ou se guérir de blessures subies pendant leur enfance.

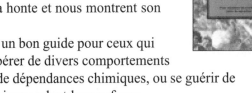

AUTEURS : RONALD POTTER-EFRON ET PATRICIA S. POTTER-EFRON
TRADUCTEUR : JACQUES R. GAGNÉ
FORMAT : 14 X 21,5 CM - 320 PAGES - ISBN : 2-89092-135-2

Douze Étapes

VERS LE BONHEUR

Les Douze Étapes révisées et enrichies

L'auteur décortique le langage de chaque Étape, nous expliquant les résistances que nous pouvons opposer et les erreurs que nous pouvons commettre.

Un guide utile pour quiconque est en voie de recouvrance et pour tous ceux qui aspirent seulement à une vie plus saine.

AUTEUR : JOE KLAAS
TRADUCTRICE : CLAUDE HERDHUIN
FORMAT : 14 X 21,5 CM - 176 PAGES - ISBN : 2-89092-166-2

Les Douze Étapes

ENRICHIES PAR

DES VERSETS BIBLIQUES

Cet ouvrage est une puissante resssource pour fusionner la sagesse pratique des Douze Étapes avec les vérités spirituelles de la Bible. Les auteurs savent comment Dieu peut utiliser l'essence spirituelle des Douze Étapes pour transformer des vies meurtries, guérir des émotions douloureuses et rétablir des relations brisées.

AUTEUR : COLLECTIF - AMIS EN RECOUVRANCE
TRADUCTEUR : ADÉLARD FAUBERT, F.S.G.
FORMAT : 15 X 23 CM - 272 PAGES - ISBN : 2-89092-202-2

VINGT-QUATRE HEURES
À LA FOIS
Méditations quotidiennes à l'intention
des Alcooliques anonymes

En présentant une pensée inspirante, une
méditation et une prière pour chaque jour de
l'année, cet ouvrage vous aidera à découvrir le pouvoir de la
prière et à entreprendre le développement d'une base spirituelle
solide. Il vous apportera l'encouragement, le support et la sagesse pour vous aider à poursuivre votre cheminement vers
une croissance personnelle et spirituelle.

AUTEUR : ANONYME

TRADUCTION : APPROUVÉE PAR HAZELDEN

FORMAT : 13 X 18 CM - 416 PAGES - ISBN : 2-89092-184-0

CHAQUE JOUR
UN NOUVEAU DÉPART
Méditations quotidiennes pour les femmes

Pour les femmes qui cherchent soutien et
croissance spirituelle, voici des réflexions de
sagesse pour stimuler l'estime de soi et le
courage.

Des citations de femmes exceptionnelles pour vous rendre la
vie plus facile, pour vous donner espoir lorsque tout semble
perdu.

AUTEURE : KAREN CASEY

TRADUCTRICE : CLAIRE STEIN

FORMAT : 13 X 18 CM - 400 PAGES - ISBN : 2-89092-156-5

DÉPRESSION ET SUICIDE
CHEZ LES JEUNES

Guide pour les parents
Comment reconnaître si un enfant est en état de crise et savoir quels gestes poser

Que doit faire un parent lorsque son enfant décide que la vie est tellement pénible qu'elle ne vaut plus la peine d'être vécue?

L'auteure fait un récit des années difficiles vécues avec sa fille de 13 ans, donne des conseils et indique comment obtenir l'aide appropriée.

AUTEURE : KATE WILLIAMS
TRADUCTRICE : CLAIRE STEIN
FORMAT : 14 x 21,5 CM - 264 PAGES - ISBN : 2-89092-193-X

SUICIDE

Trente adolescents parlent de leurs tentatives

Ce livre a été écrit pour aider les adolescents, leurs parents, les professeurs, les conseillers à parler ensemble du suicide, *la deuxième cause de décès chez les adolescents.*

Il fournira aux lecteurs une sérieuse connaissance du suicide et leur fera accepter d'autres solutions que celle-ci.

Toute la vérité sur un sujet tabou.

AUTEURE : MARION CROOK
TRADUCTRICE : CLAUDE HERDHUIN
FORMAT : 14 x 21,5 CM - 240 PAGES - ISBN : 2-89092-194-8

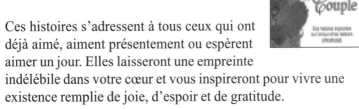